D0715873

Club PASSION

Dans la même collection

30. *Illusions*, Joan Elliott Pickart.
31. *L'étoile sans nom*, Iris Johansen.
32. *Un duel sans merci*, Doris Parmett.
33. *Le chant des forêts*, Sandra Chastain.
34. *L'été magique*, Joan Elliott Pickart.
35. *Le Prince et le Patriote*, Kathleen Creighton.
36. *Reflets de saphir*, Fayrene Preston
37. *La clé du bonheur*, Joan Elliott Pickart.
38. *Le meilleur des refuges*, Iris Johansen.
39. *Le cœur en péril*, Sara Orwig.
40. *La chute d'Icare*, Sandra Brown
41. *Noëlle en juillet*, Joan Elliott Pickart.
42. *Divine providence*, Mary Kay Mc Comas.
43. *Un ours en peluche*, Joan Elliot Pickart.
44. *Conflit d'intérêt*, Margie Mc Donnell.
45. *Des cieux d'azur*, Iris Jokansen.
46. *Otage dans les Rocheuses*, Sandra Brown.
47. *Miss Annabella*,Joan Elliott Pickart.
48. *L'un pour l'autre* , Doris Parmett.
49. *Pour l'amour de Lorna*, Sara Chastain.
50. *Feu ardent*, Helen Mittermeyer.
51. *Le papillon de Cristal*, Joan Elliott Pickart.
52. *Le pays enchanté*, Margie Mc Donnell.
53. *Nuits blanches*, Peggy Webb.
54. *La fille de l'hiver*, Kathleen Creighton.
55. *Vent des sables*, Iris Johansen.
56. *Soleil d'émeraude*, Fayrene Preston.
57. *Tucker Bone*, Joan Elliott Rikart.
58. *Cet obsédant passé*, Mary Kay McComas.
59. *L'homme de la nuit*, Joan Elliott Pickart.
60. *La ligne de feu*, Terry Lawrence.
61. *Rendez-vous nocturne*, Margaret Malkind.
62. *L'amour du magicien*, Kathleen Creighton.
63. *L'été de Galvestone*, Sandra Brown.
64. *Ange de bohême*, Peggy Webb.
65. *Le vallon de la sérénité*, Joan Elliott Pickart.
66. *Miel sauvage*, Suzanne Forster.
67. *L'histoire d'Alexandra*, Fayrene Preston.
68. *Un sourire dans la nuit*, Fayrene Preston.
69. *La prédiction tzigane*, Fayrene Peston.
70. *Le reveil de Calypso*, Lynne Marie Bryant.
71. *Regard de braise*, Helen Mittermeyer.
72. *Une si jolie cible*, Doris Parmett.

JOAN ELLIOTT PICKART

LA RUCHE AUX MYSTÈRES

PRESSES DE LA CITÉ
PARIS

Titre original :
Riddles and Rhymes

Première édition publiée par Bantam Books, Inc., New York, dans la collection Loveswept ®. Loveswept est une marque déposée de Bantam Books, Inc.

Traduction française de Martine Peinet

ISBN : 2-285-00092-8

1

DANS la salle de séjour plongée dans la pénombre, Liberty Shaw jeta un coup d'œil derrière les doubles-rideaux. Un frisson lui courut le long du dos quand elle le vit dans l'ombre, sur le trottoir d'en face. Pas de doute, l'homme était encore en train de la surveiller, exactement comme il l'avait fait la veille au soir.

Depuis son appartement du premier étage, Liberty ne pouvait distinguer ses traits. Ce qu'elle voyait, c'était qu'il était de petite taille et corpulent, qu'il portait un costume foncé et qu'il suivait ses allées et venues d'une pièce à l'autre.

Liberty lâcha les doubles rideaux et croisa les bras sur son buste souple, refermant les mains sur ses coudes comme pour mieux se protéger. Elle fixa le velours rouge passablement décoloré avec l'idée irrationnelle que c'était tout ce qu'il y avait entre elle et l'homme, cela lui glaça le sang dans les veines.

Quelle bêtise, pourtant, de s'inquiéter pour rien! Après tout, l'inconnu avait simplement l'habitude de se promener le soir en s'arrêtant afin de respirer l'air frais et léger de ce début d'été. Elle n'avait aucune raison de croire qu'on l'épiait.

Mais l'homme avait la tête rejetée en arrière de telle manière que la jeune femme savait qu'il regardait bien ses fenêtres.

– Ça suffit comme ça, dit-elle à voix haute.

Et elle alla résolument allumer les deux lampes posées sur la table qui éclairèrent la pièce encombrée. Le mobilier modeste semblait avoir été introduit après coup, dans l'espace exigu laissé par les nombreux cartons pleins de livres.

La jeune femme se fraya un chemin jusqu'à la minuscule cuisine où elle dîna d'une tranche de jambon et d'un peu de salade verte. Tout en mangeant, elle se demanda ce qu'elle ferait de cet endroit que lui laissait par testament une tante qu'elle avait à peine connue.

Certes, elle adorait les livres. Ils avaient été ses meilleurs amis au cours de son enfance. Son père, militaire de carrière, avait entraîné la famille dans de fréquents déménagements et Liberty cherchait une consolation dans les livres lorsqu'elle se retrouvait une fois de plus nouvelle élève dans un établissement inconnu.

Mais aujourd'hui, hériter de cette fabuleuse quantité de volumes répartis entre la librairie et l'appartement au-dessus constituait un véritable défi. Elle avait heureusement tout l'été pour prendre une décision : c'était un des rares avantages de l'enseignement.

– *La Ruche*, murmura-t-elle dans le silence qui l'oppressait.

Le nom lui plaisait : il évoquait une boutique pleine de clients avides de butiner des miettes de savoir.

Liberty était arrivée la veille dans l'après-midi et elle s'était contentée de voir le notaire de sa tante puis d'acheter un peu d'épicerie avant de s'installer dans l'appartement dont il lui avait remis les clés. Aujourd'hui, elle avait ouvert *La Ruche* afin de l'aérer après deux semaines de fermeture.

Les gens s'étaient présentés très vite, ravis que la librairie soit ouverte et ils avaient exprimé leur sympathie ainsi que leur tristesse à l'annonce de la disparition de leur vieille amie Beverly Shaw.

Liberty lava sa petite vaisselle puis se dirigea vers la minuscule salle d'eau pour prendre une douche. Elle se sentait aussi poussiéreuse que les livres du rez-de-chaussée. Si elle vendait la boutique, il faudrait commencer par la nettoyer de fond en comble afin de la rendre plus attrayante aux yeux d'un éventuel acheteur.

Si elle vendait la boutique?

De fait, sa carrière de professeur de littérature à Chicago l'avait assez vite déçue et sa vie privée n'était pas une réussite. Au cours de l'année scolaire, elle avait pris l'habitude de sortir le samedi soir avec Fred Newton, le professeur d'informatique, mais ce n'était pas l'homme de sa vie. Et elle avait été soulagée de recevoir, la veille des vacances, la lettre du notaire de Los Angeles qui l'avait incitée à partir immédiatement et à remettre à plus tard la corvée d'annoncer à Fred qu'elle ne verrait jamais en lui qu'un ami sympathique, sans plus.

Revigorée par sa douche, elle se planta devant le miroir pour s'essuyer avec une serviette rayée, dénichée dans la commode de la chambre.

– Ça ne vaut peut-être pas un voyage à Hawaii ou aux Bahamas, dit-elle à son image, mais j'avais besoin d'un changement!

Elle enfila un ample T-shirt de coton orné de la tête de Shakespeare et elle traversa la salle de séjour obscure pour gagner la chambre où elle avait l'intention de lire au lit.

– Non, non, pas question d'approcher de la fenêtre, murmura-t-elle.

Mais Liberty en prenait déjà la direction, contournant des cartons de livres empilés les uns sur les autres. Elle écarta l'un des doubles-rideaux pour voir au-dehors.

– Mince!

Son cœur bondit dans sa poitrine: l'homme était toujours là. Et il observait bien ses fenêtres.

Finn O'Casey sortit du modeste café où flottait une odeur de graisse rance, qui servait à son avis le meilleur petit déjeuner de tout Los Angeles, et il se mit à déambuler en regardant autour de lui. Au-dessus des boutiques, les logements étaient exigus et bruyants. Par ici, les habitants avaient de la peine à joindre les deux bouts et ne demandaient guère plus à l'existence que le loisir de rêver à des lendemains meilleurs qui n'arriveraient jamais.

Finn ne s'aventurait pas souvent dans cette partie déshéritée de Los Angeles, située à des kilomètres de sa belle résidence de Beverly Hills. Il venait lorsqu'il était mentalement et physiquement à bout de force ou quand il désirait se soustraire aux pressions de la vie quotidienne pour retrouver le contact avec cette atmosphère qu'il était incapable de définir.

Il aspira profondément et eut un petit rire en pensant que les gens le prendraient pour un fou de humer ainsi les odeurs de chou, de sueur, de pots d'échappement et de poubelles encore pleines sur les trottoirs étroits.

Tandis qu'il déambulait, son œil de peintre enregistrait les détails de ce quartier pittoresque. Il se dirigeait vers *La Ruche*, son endroit de prédilection. La vieille librairie qui regorgeait de livres d'occasion constituait pour lui un trésor inestimable. Sa propriétaire, Beverly Shaw, était une femme haute en couleur avec ses vêtements et ses bijoux de gitane, et cet inimitable rire cristallin dont elle n'était pas avare.

Finn la connaissait depuis cinq ans et il se réjouissait de la revoir. Il venait de travailler d'arrache-pied pour préparer son exposition dans une galerie cotée de Rodeo Drive. Le vernissage avait eu lieu l'avant-veille et déjà la majorité de ses toiles était vendue, des milliers de dollars chacune. Les critiques ne tarissaient pas d'éloges sur l'artiste au talent confirmé qu'était le peintre Finn O'Casey, trente ans à peine.

Pour l'heure, il se sentait fatigué et il savait que

l'atmosphère conviviale de *La Ruche* lui donnerait comme toujours un regain de vitalité. Il reverrait la petite chatte dont il avait fait cadeau à Beverly trois ans auparavant. Elle l'avait sur-le-champ baptisée Colette, du nom de sa romancière préférée.

Finn sourit en apercevant l'enseigne un peu rouillée qui signalait la librairie. La boutique avait besoin d'un bon coup de peinture. Avec un grand sentiment d'anticipation il poussa la porte de *La Ruche*.

Liberty, qui époussetait les livres au fond d'une travée, releva la tête en entendant le timbre tinter au-dessus de la porte.

Son empressement provenait en partie du souci de bien accueillir les clients. Mais la jeune femme était également nerveuse après une nuit au sommeil peuplé de cauchemars tournant autour d'un petit homme qui s'obstinait à la poursuivre le long d'interminables rangées de livres.

Elle avait quitté son lit dès l'aube. Après un déjeuner frugal, elle était descendue à la boutique entreprendre la tâche fastidieuse du nettoyage. Une demi-heure plus tôt, à neuf heures, elle avait ouvert. Plusieurs personnes s'étaient présentées depuis; aucune ne rappelait, de près ou de loin, l'homme tapi dans l'ombre.

Liberty marcha au-devant de son nouveau client puis s'arrêta, surprise par le rythme accéléré de son cœur.

Dieu qu'il était beau! Il se tenait debout, sur le

pas de la porte. Le soleil du matin qui l'éclairait par-derrière transformait ses cheveux blonds en une crinière d'un vermeil resplendissant et sa peau hâlée en un bronze très chaud.

Il était grand, plus d'un mètre quatre-vingts, doté de larges épaules. Son torse athlétique et ses bras musclés, son polo jaune les mettait merveilleusement en valeur. Ses hanches minces et ses longues jambes étaient serrées dans un jean délavé qui paraissait mouler son corps triomphant.

Et quel visage! L'arrivant avait des yeux marron, un nez droit, de hautes pommettes, des mâchoires puissantes et la bouche la plus sensuelle du monde. Il émanait de lui un charme viril puissant, allié à une santé éclatante.

Pourquoi n'était-ce pas un individu tel que lui qui s'était mis en tête de l'observer dans l'ombre, la nuit précédente? Liberty se reprocha son idée absurde, d'autant plus que pour l'instant c'était elle qui épiait l'autre dans l'ombre, au lieu de l'accueillir en bonne libraire.

Elle émergea de l'allée bordée de hauts rayonnages et sourit.

– Bonjour. Puis-je vous être utile?

Finn se tourna vers la voix charmante qui l'avait interpellé et ses yeux s'agrandirent légèrement. La beauté qui avançait vers lui n'était pas Beverly Shaw. Beverly n'avait pas vingt ans, une splendide chevelure auburn qui lui tombait sur les épaules, un très joli visage et les plus grands yeux bruns qu'il lui ait été donné de contempler jusqu'ici.

Beverly ne mesurait pas un mètre soixante-dix et sa silhouette n'aurait jamais rendu aussi seyants un modeste T-shirt vert pâle et un jean gris.

L'inconnue était suprêmement attirante.

– Bonjour? répéta Liberty, en inclinant la tête sur le côté.

Finn s'éclaircit la gorge.

– Bonjour... Je suis surpris de vous voir. Je m'appelle Finn O'Casey et je passais pour bavarder avec Beverly. J'ai l'impression qu'elle n'est pas là.

Liberty soupira avant d'aller se poster derrière le comptoir sur lequel trônait une caisse enregistreuse d'un modèle ancien. La veille, la jeune fille s'était évertuée à enduire la surface du bois couverte d'éraflures d'une cire liquide qui lui avait conféré un beau brillant.

– Non, elle n'est pas là... Ma tante est décédée il y a plus de quinze jours.

Finn s'assombrit. Il avança à grands pas vers le comptoir.

– Beverly? Décédée?

Il secoua la tête.

– Je n'arrive pas à le croire. Elle n'était pas si vieille que cela et elle débordait d'une vitalité prodigieuse. Que s'est-il passé?

– Je regrette mais je n'ai pas beaucoup de détails, monsieur O'Casey. Apparemment ma tante souffrait d'une déficience cardiaque qui l'a emportée brusquement.

– Finn. Appelez-moi Finn... Vous êtes la nièce de Beverly?

– Oui. Liberty Shaw.
– Elle ne faisait jamais allusion à sa famille.
– Nous ne nous fréquentions pas. J'ai surtout vécu à l'étranger avec mes parents... Mon père est militaire de carrière. Je n'ai rencontré tante Beverly qu'une seule fois dans mon enfance. Quand j'ai appris qu'elle me laissait sa librairie par testament, j'ai eu un choc... Je suis arrivée de Chicago avant-hier.
Liberty parcourut les rayons d'un regard incertain.
– Je ne sais pas trop ce que je vais faire de cette boutique... Pour le moment, je la nettoie. Je suis navrée d'avoir dû vous apprendre le décès de ma tante, monsieur... Finn. Je commence à me rendre compte qu'elle avait beaucoup d'amis, qui sont tous choqués par sa mort subite. J'aurais aimé la connaître davantage. D'après ce qu'on m'a appris, tante Beverly était une femme remarquable.
Finn hocha la tête.
– Elle était absolument unique au monde. Elle prenait la vie du bon côté et souriait toujours. C'était une originale, aux idées généreuses, qui attirait beaucoup de gens autour d'elle par sa chaleur humaine.
Il se passa la main sur la nuque.
– Bon sang, si j'avais pu savoir, je serais allé à son enterrement... Non, ajouta-t-il après une courte pause, Beverly n'aurait pas aimé cela. Elle estimait que ces cérémonies étaient un gaspillage de temps.
– Je sais. Elle a laissé des instructions très pré-

cises là-dessus à son notaire. Il a prévenu mon père en Allemagne, qui a chargé ma mère de m'écrire. J'estime tout de même que la famille de tante Beverly aurait dû venir mais ce n'était pas sa volonté. Son homme de loi s'est chargé de tout et m'a appris ensuite que j'héritais de *La Ruche*.

Finn eut un petit sourire.

– Beverly aimait faire les choses à sa manière... Elle me manquera, à moi comme à tous ceux qu'elle connaissait par ici. Vous disiez que vous ne savez pas ce que vous allez faire de la librairie?

– Je vais probablement tâcher de la vendre...

Elle rit.

– Oui, je la vendrai. Je suis professeur à Chicago... Mais je vous prie de croire qu'à la fin d'une année scolaire interminable, je me sens bien dans cet endroit tranquille, malgré la poussière.

Finn la contempla et son sourire s'épanouit.

– Votre rire... C'est exactement le même que celui de Beverly... Cristallin et un peu rauque à la fois.

– C'est vrai! Je me le rappelle maintenant, son rire m'avait frappée quand j'étais petite... Finn, c'est un beau compliment que vous venez de me faire en me disant cela, ajouta-t-elle en le regardant droit dans les yeux. Merci.

Ils demeurèrent immobiles à se contempler. Un frémissement parcourut Liberty, gagnant sa féminité, tandis que Finn était en proie à une ardente flambée de désir.

– Liberty, dit-il enfin, un peu étonné par la nervosité qu'il sentait dans sa voix, c'est un nom qui sort de l'ordinaire. Cela me plaît... Liberty Shaw... Je présume, puisque vous vous appelez Shaw, que vous n'êtes pas mariée?

Pourquoi diable avait-il posé cette question? Quelle différence cela faisait-il qu'elle soit mariée? Il était venu ici pour rendre visite à Beverly Shaw. Beverly avait disparu, il allait donc poursuivre son chemin. Il ne reverrait jamais Liberty Shaw.

– Non, je ne suis pas mariée, répondit-elle.

« Liberty, se dit-elle intérieurement, ne lui demande pas s'il est marié lui. Il s'en ira dans une minute et tu ne le reverras plus de ta vie. »

Mais Finn l'avait dévisagée si longuement qu'elle était à deux doigts de tomber à ses pieds. Elle n'avait jamais réagi de la sorte devant un beau spécimen d'homme. Et elle n'avait pas l'intention de s'entêter dans son attitude ridicule en lui demandant s'il était marié.

– Êtes-vous marié? s'entendit-elle dire, totalement déconcertée.

– Moi? non.

Finn secoua la tête.

– Ma sœur, Tina, a épousé un type très bien l'été dernier : Jared Loring. Elle estime depuis que le bonheur passe obligatoirement par la vie de couple. Je suis ravi de la savoir aussi heureuse mais j'aurais intérêt à la fuir. C'est une menace vivante pour ma liberté.

Il rit.

– Et je ne serais pas un cadeau. Pour personne.

Liberty parut amusée.

– Pourquoi? Êtes-vous vraiment impossible à vivre?

– Je suis peintre. Lorsque je travaille sur une toile, je perds toute notion du temps. Ce ne serait pas très apprécié d'une femme qui m'attendrait tous les soirs pour dîner.

– Si elle vous aime, elle peut comprendre votre façon d'être.

« Qu'est-ce qui me prend? se reprocha-t-elle intérieurement. Depuis quand suis-je une experte en matière d'amour? »

– A vrai dire, je n'en sais rien, ajouta très vite Liberty. Personnellement je n'ai jamais été amoureuse.

– Pourquoi?

Elle haussa les épaules.

– Cela ne s'est pas trouvé, tout simplement.

– Vous n'avez pas l'air de vous en inquiéter.

– Mes amis me disent que je commencerai à m'affoler quand j'aurai trente ans mais je n'en ai que vingt-six pour l'instant, alors... Vous savez, Finn, vous êtes le seul client à qui j'ai révélé que je ne connaissais pas vraiment ma tante, fit-elle en regardant alentour. Je trouve singulier qu'elle m'ait laissé cette boutique. C'est étonnant comme je me confie facilement à vous...

« Et je me confierais volontiers à votre bouche, poursuivit-elle en son for intérieur. Pour connaître le goût de vos lèvres bien tentantes. »

– ... Mais je ferais mieux de reprendre mon nettoyage, ajouta-t-elle à regret. Cette pauvre librairie est dans un état épouvantable.

– Logez-vous au-dessus?

– Oui.

L'artiste se rembrunit.

– Ce coin-ci n'est pas très sûr, Liberty. Il va falloir que vous soyez très prudente. Fermez toujours les portes à clé, ne sortez pas seule la nuit... Vous voyez le genre?

Pourquoi diable s'était-il lancé dans des conseils de boy-scout? s'étonna-t-il... Le fait est que la jeune fille risquait de se trouver en difficulté dans ce quartier plutôt mal famé.

– J'ai l'intention d'être très prudente. Figurez-vous que j'ai déjà été un peu tracassée par...

Sa voix mourut.

Finn se pencha en avant.

– Par?

– Rien, fit-elle avec un petit geste de la main. C'est mon imagination qui me joue des tours.

– Expliquez-moi ce qui vous a tracassée?

– Au fond, je suis sûre que l'homme habite dans le voisinage et qu'il se promène comme cela le soir depuis des années.

Finn se raidit.

– Quel homme? Comment se promène-t-il?

– Cela va vous paraître stupide... Voilà : les deux soirs que j'ai passés ici, j'ai vu un homme qui se tenait dans l'ombre sur le trottoir d'en face. Il avait l'air de surveiller les fenêtres du premier étage. C'est sans doute un habitant du quartier qui a l'habitude de sortir après dîner en s'arrêtant pour observer les étoiles... Je vous ai dit que vous trouveriez cela ridicule.

Finn parut soucieux.

– Ce n'est pas ridicule du tout. Pouvez-vous décrire cet homme?

– Il est petit et corpulent. Il porte des vêtements foncés. Je n'ai pas pu voir ses traits avec netteté. Je suis certaine qu'il ne fait rien de mal.

– C'est probable mais promettez-moi que vous serez prudente.

– Oui, je vous le promets, dit-elle d'une voix douce.

Leurs regards se croisèrent longuement, comme sous l'emprise d'un étrange sortilège.

Finn se décida finalement à rompre le silence :

– Où est Colette? interrogea-t-il, désireux de maîtriser la nouvelle flambée de désir qui le consumait.

Liberty fit un effort pour quitter la brume de sensualité dans laquelle elle se sentait flotter béatement.

– Vous voulez un livre de littérature française?

– Non. Colette est une belle chatte tigrée. Je l'ai offerte à Beverly il y a trois ans quand elle était encore toute petite.

– Je n'ai pas vu de chat.

– Cela ne va certainement pas tarder. Elle a dû se réfugier auprès de personnes hospitalières qui cesseront de la nourrir en sachant que vous êtes ici.

– Je n'ai pas vu d'aliments pour chat dans les

placards. Et rien ne m'a donné à supposer que tante Beverly avait un animal de compagnie.

– C'est curieux. Elle gâtait outrageusement cette bête. Je ne l'imagine pas à court de nourriture pour Colette.

– Il n'y avait pas grand-chose à manger. Le réfrigérateur était vide. Je n'ai vu que quelques boîtes de conserves. Maintenant que j'y pense, on dirait que ma tante s'apprêtait à partir. C'est absurde... J'ignore tout des habitudes qu'elle avait. Peut-être n'aimait-elle pas accumuler les provisions et préférait-elle acheter au jour le jour?

– Peut-être pour elle mais pas pour Colette. Une fois votre tante m'a demandé de garder la librairie le temps d'aller chercher des aliments pour chats et elle est revenue avec une quantité de boîtes. Devant ma stupéfaction, elle a ri en déclarant que Colette avait un appétit royal. Êtes-vous sûre qu'il n'y avait pas d'aliments pour chat dans les placards?

– Absolument.

– C'est bizarre. Même si Beverly ne s'était pas sentie bien, elle aurait demandé à quelqu'un d'acheter des boîtes pour Colette.

– Son notaire m'a affirmé que personne n'était entré ici lorsqu'il m'a remis les clés. Cela élimine la possibilité que quelqu'un se soit rappelé Colette et soit venu la chercher ainsi que ses aliments habituels.

– Où était Beverly quand elle est décédée, Liberty?

– Elle est tombée dans la rue. On a trouvé une lettre dans son sac à main qui demandait d'avertir le notaire en cas d'urgence. C'est lui qui s'est chargé de l'exécution de ses dernières volontés.

– Vous allez sans doute penser que je regarde trop de films policiers mais il y a quelque chose qui ne colle pas dans cette histoire. Jamais Beverly ne serait restée à court d'aliments pour sa chatte.

Liberty contourna le comptoir.

– Je vais laisser la porte entrebâillée, au cas où Colette voudrait rentrer. Cela semble étrange, Finn, mais je suis sûre qu'il y a une explication logique, de même que pour l'homme tapi dans l'ombre.

– Vous devez avoir raison.

Il suivit des yeux la jeune femme qui passait près de lui, enregistrant chacun des détails de sa silhouette attirante et il huma avec délices une senteur d'eau de toilette fleurie.

Liberty Shaw avait une beauté indéniable et il n'aimait pas la perspective qu'elle reste seule dans l'appartement du premier étage. En outre, il n'aimait pas l'idée que cette perspective lui déplaise si fort. Mais, bon Dieu, une fille comme elle ne devait pas rester seule! Et si l'homme qu'elle avait remarqué tapi dans l'ombre n'était pas un innocent promeneur? Ensuite, où diable avait pu passer Colette? Pourquoi n'y avait-il aucun aliment pour chat dans les placards? Si Finn allait trouver la police pour raconter cela, on l'expédierait certainement dans un asile d'aliénés.

Liberty venait d'entrebâiller la porte de *La Ruche* quand un jeune couple entra dans la boutique avec un bébé. Finn déambula entre les rayons pendant que la jeune femme aidait les clients à trouver un livre de puériculture.

Près de la moitié des étagères avait été époussetée, remarqua-t-il. La nièce de Beverly avait bien travaillé depuis son arrivée.

Il ramassa le chiffon qu'elle avait posé lorsqu'il était entré et il poursuivit le nettoyage entrepris.

Liberty vivait à Chicago où elle était professeur. Vers la fin de l'été, et peut-être avant si la boutique se vendait, elle y retournerait. Elle disparaîtrait dans les nuages et il ne la reverrait plus.

Pourquoi cette idée d'une brève rencontre lui déplaisait-elle autant? Lorsqu'il avait fixé ses grands yeux bruns, pourquoi s'était-il senti pris au piège? Et pourquoi diable éprouvait-il à présent le besoin irrésistible d'attirer Liberty dans ses bras pour l'embrasser jusqu'à ce qu'ils en perdent le souffle tous les deux?

La peinture avait été son premier amour. Finn vivait hors du temps à longueur de journée. Il n'y avait pas de place dans sa vie pour des relations suivies. Les femmes qu'il fréquentait le savaient fort bien.

Et pourtant il souffrait parfois de la solitude.

Finn souleva en soupirant un atlas qu'il essuya consciencieusement.

Sur le seuil de la boutique, Liberty eut un petit rire.

L'artiste remit précipitamment le livre en

place, prodigieusement ému par son rire cristallin.

– Finn, que faites-vous?

Elle était en train de l'ensorceler mais il refusait de succomber à son charme. La vie qu'il menait lui convenait parfaitement. Dès que le couple s'en irait, Finn prendrait congé de Liberty Shaw et il ne la reverrait pas.

– Finn, que faites-vous là? demanda-t-elle, de plus près cette fois.

Il sursauta, arraché à ses réflexions, et il se retourna.

– J'essuyais un peu pour m'occuper...

Il devrait y avoir une loi contre ces grands yeux bruns qui irradiaient une telle chaleur. A quoi pouvaient ressembler ses prunelles lorsque le désir y brillait? Y brillerait-il pour lui?

– ... Vous... euh... vous avez déjà bien avancé le nettoyage.

– Nettoyer, c'est la partie la plus facile du travail, précisa-t-elle en avançant lentement vers lui. Il y a une quantité de cartons, ici et dans l'appartement, qu'il faudrait vider pour faire un tri. Et puis j'ai découvert une boîte pleine de courrier que ma tante n'avait même pas ouvert... Elle n'était pas ce qu'on appelle une femme d'affaires.

– Beverly cultivait l'art de bien vivre, je vous assure, dit Finn en souriant.

Liberty aurait préféré qu'il n'arbore pas ce sourire dévastateur qui éclairait son visage tel un rayon de soleil par un jour brumeux, et qui accélérait tant les battements de son cœur. Interdite, la jeune femme se demanda quel effet cela pouvait faire d'être embrassée par Finn O'Casey.

– Quoi qu'il en soit, moi, je nettoie, dit-elle machinalement.

– Cela rime! fit remarquer Finn en riant. Seriez-vous poète?

– Pas du tout, fit-elle d'un ton léger.

Malgré elle, la jeune femme dévora littéralement des yeux ce bel homme au corps superbe, aux lèvres irrésistibles, tout en tendant le bras vers le chiffon qu'il avait laissé sur le rayon.

Finn referma sa main sur la sienne.

– Si vous en avez un autre, je vais continuer avec celui-ci.

– Pourquoi? s'étonna-t-elle, émue par la chaleur de ce contact.

Il haussa les épaules en souriant.

– Pourquoi pas? J'ai tellement travaillé, ces derniers mois, que je m'accorde maintenant un peu de répit. J'ai le temps d'épousseter quelques volumes. Cela vous convient-il?

Où diable était passé son projet de prendre congé de Liberty Shaw et de quitter la boutique?

– J'aurais bien tort de refuser pareille offre mais cette activité n'a rien de passionnant...

La chaleur qui émanait de la main de Finn remontait le long du bras de la jeune femme, lui envahissait la poitrine, se lovait au creux de son estomac.

– ... Je... Je vais chercher un autre chiffon...

Elle voulut reprendre sa main mais Finn accentua la pression de la sienne.

– ... Finn?

– Quand vous étiez lycéenne dit-il, avez-vous jamais accordé un baiser à l'abri des livres de la bibliothèque?

– Non.

– Moi non plus.

Il glissa délicatement l'autre main sur la nuque de Liberty.

– Il est temps de combler cette lacune...

– Je ne...

Il allait l'embrasser!

– ... veux pas... Si, je veux, soupira-t-elle, sentant monter en elle une onde de chaleur.

– Bien...

Il inclina la tête.

– ... Nous sommes d'accord, Liberty.

« L'accord parfait! » pensa-t-elle, rêveuse, tandis qu'elle fermait les yeux.

Et Finn s'empara de ses lèvres.

2

LES lèvres de Finn se révélèrent exigeantes tout en étant la douceur même et la chaleur qui avait envahi Liberty se mua en un feu dévorant qui aiguisait ses sens. Alors que les bras de cet homme se nouaient autour d'elle, attirant son corps contre le sien, elle referma les mains sur sa nuque dégagée, écartant les lèvres, ravie par l'invasion sensuelle de son baiser.

Jamais personne ne l'avait embrassée comme cela. Et jamais Liberty n'avait répondu avec un abandon aussi brûlant. Elle était impressionnée par la force qui habitait le corps de Finn, une force qu'il tempérait avec beaucoup de tendresse, de sorte qu'elle se sentait délicieusement féminine et fragile et précieuse.

Elle enfouit les doigts dans ses cheveux blonds fournis afin de garder sa bouche sur la sienne. Ses seins ronds se trouvaient pressés contre son torse musculeux et elle savoura ce contact rude.

Un suave ronronnement de plaisir lui échappa des lèvres.

Finn n'en revenait pas d'embrasser Liberty

Shaw. Il n'avait pas eu la moindre intention de le faire... D'ailleurs était-il réellement en train d'embrasser? Tout son être lui paraissait sur le point d'exploser sous l'impact sensuel de sa bouche contre la sienne et de son corps mince qu'il serrait dans ses bras.

En un éclair, s'était déclaré en lui un puissant incendie dont l'intensité annihilait sa capacité de raisonnement. Il aspirait la douceur de Liberty, en homme assoiffé qui tâche d'apaiser son feu intérieur. Mais en définitive la saveur des lèvres qu'elle lui offrait ne faisait qu'attiser les flammes qui le dévoraient.

Ce n'était qu'un baiser, insistait sa raison.

Un baiser pareil à nul autre, murmura en son for intérieur une petite voix.

Il venait à peine de rencontrer cette femme, reprit la raison.

Il la connaissait depuis toujours, répondit la petite voix, mais à présent, elle avait un nom et un corps.

Il fallait cesser de l'embrasser, lui souffla la raison.

Plus tard, protesta la petite voix intérieure, plus tard.

Tout de suite!

Tais-toi! ordonna la petite voix.

Un sourd grognement monta de la poitrine de Finn, mettant un terme à ce conflit intérieur.

Finn O'Casey perdait son sang-froid, ce qui ne lui arrivait jamais. La discipline qu'il s'était imposée lui avait permis d'atteindre son objectif : devenir un peintre accompli et reconnu par le monde artistique. Il s'était jamais laissé prendre aux rets invisibles que les femmes sont expertes à tisser pour capturer le cœur masculin. Et il n'allait pas, aujourd'hui, tomber sous le charme de celle qu'il tenait dans ses bras, que diable!

Il détacha sa bouche de celle de Liberty et aspira une goulée d'air. Ce faisant, il ôta ses mains des hanches de la jeune femme pour les poser sur ses épaules gracieuses et il recula un peu.

Liberty souleva lentement les paupières et Finn poussa un sourd grognement en découvrant le désir qui brillait dans ses grands yeux bruns. Elle avait les lèvres humides et légèrement écartées silencieuse invite à ce que sa bouche en reprenne ardemment possession.

Avec ce qui lui restait de volonté, il fit un pas en arrière, et ses bras retombèrent le long de son corps.

Liberty vacilla légèrement.

– Je... C'était..., fit-elle, haletante.

Finn détourna les yeux et ses sourcils se froncèrent.

– C'était une erreur, dit-il.

Liberty reprit son souffle.

– Une erreur? répéta-t-elle avant de sourire. Personnellement j'ai trouvé ce baiser fabuleux. Vous n'êtes assurément pas mon genre, Finn O'Casey, mais pour rien au monde je n'aurais manqué ce baiser. Vous avez certainement beaucoup d'expérience, n'est-ce pas? Moi, jamais, je n'ai... Et maintenant, si vous êtes toujours volontaire pour essuyer les livres, je ferais bien d'aller chercher un autre chiffon.

Elle pivota sur elle-même et partit le long des rayons

– Attendez...

Il la poursuivit à grands pas et l'obligea à se tourner vers lui.

– ... Attendez une minute.

– Oui? fit-elle, l'œil amusé.

– Qu'est-ce qui vous fait dire que je ne suis pas votre genre? Et que savez-vous de mon expérience? Je n'ai pas l'habitude qu'on m'insulte, Liberty Shaw.

– Je n'avais pas l'intention de vous offenser, je constatais simplement... De toute évidence, vous avez embrassé beaucoup de femmes et je dois dire que vous le faites avec une grande expérience.

– Allez-vous vous taire? On dirait que vous me prenez pour un séducteur professionnel! Ce baiser, nous l'avons partagé tous les deux. Je n'aurais pas pu vous embrasser comme cela si vous n'aviez pas répondu comme vous l'avez fait. Compris?

Il baissa les paupières et secoua la tête.

– Qu'est-ce que j'ai donc à vous crier à la figure?

Il rouvrit les yeux et foudroya son interlocutrice du regard.

– Liberty Shaw, vous me rendez fou!

– Finn O'Casey, dit-elle dans un chaleureux sourire, si vous m'attribuez la moitié de la responsabilité de ce baiser, je l'accepte avec joie. C'était sublime!

Son sourire s'évanouit.

– Pourtant cela ne va pas se reproduire. Ça non!

Elle se libéra le bras et pivota sur les talons pour s'éloigner.

La main de Finn lui reprit le bras, l'arrêtant net.

– Attendez.

– Pourquoi? fit-elle en soutenant son regard.

– Pour quelle raison cela ne devrait-il pas se reproduire?

Il avait réussi à adopter un ton neutre, ce qui le rassura.

– Je ne suis pas une petite fille naïve, Finn. Je sais reconnaître le danger... Jamais de la vie je n'avais vécu un instant pareil... Et je me dis que si un baiser au milieu d'une librairie poussiéreuse peut produire un effet similaire, on ne pourrait rêver scène plus romantique. Je n'ai pas l'habitude de discuter baisers, mais celui-ci sortait vraiment de l'ordinaire. Peut-être êtes-vous capable de dominer la situation, moi pas... Voulez-vous bien me rendre mon bras?

– Quoi? Oui, naturellement...

Il laissa retomber sa main le long de son corps.

– ... Allez me chercher un autre chiffon, Liberty.

Elle hocha la tête et partit.

Finn la regarda s'éloigner, comme fasciné par le gracieux mouvement ondulant de ses hanches. Puis il se rendit compte qu'il la dévorait des yeux et il secoua la tête.

Tout cela était dû à la fatigue ; il était épuisé au physique comme au moral. Ce devait être la raison pour laquelle Liberty Shaw l'avait à ce point troublé. Cette explication le soulagea grandement : voilà qu'il retrouvait sa maîtrise de soi.

Liberty fourragea dans une boîte placée derrière le comptoir et parvint à en extraire un chiffon propre et de bonnes dimensions. Elle se redressa, planta les coudes sur le comptoir et s'appuya le menton au creux de la paume tout en fixant le vide.

Logiquement, elle aurait dû se sentir honteuse de la manière dont elle avait embrassé Finn O'Casey. La jeune femme n'était pas du genre à se jeter au cou des hommes dès la première rencontre. Et jamais elle n'avait réagi à un baiser comme à celui de Finn. Elle en éprouvait encore une vive chaleur au fond d'elle-même et elle avait conservé le goût de ses lèvres irrésistibles sur les siennes.

Que lui arrivait-il donc ? Pourquoi n'était-elle pas confuse de son comportement insolite ? Pourquoi sa conscience ne lui rappelait-elle pas son code de bonne conduite ? Parce qu'elle avait été sincère lorsqu'elle avait déclaré que pour rien au monde elle n'aurait manqué ce baiser. Elle s'était tout à coup sentie si vivante, si féminine et si précieuse ! Ce baiser était désormais un souvenir cher mais il ne fallait pas que cela se reproduise. Surtout pas !

Liberty se redressa et secoua la tête. Non, se promit-elle, Finn et elle n'échangeraient plus de baisers. Quelque chose d'étrange, de passionnant et d'effrayant à la fois, s'était produit au moment où elle l'avait vu, tout inondé de soleil, sur le seuil de la *La Ruche*. La jeune femme conserverait ce baiser volé dans son cœur. Que Finn ait pu considérer sa déclaration spontanée comme une insulte ne la concernait pas, c'était son affaire à lui.

La mine résolue, elle regagna l'arrière-boutique.

– Prenez ce chiffon propre, dit-elle en le tendant au peintre. Vous pouvez finir ce rayon-ci.

Elle passa à côté de lui en prenant bien soin de ne pas le toucher.

– Moi, j'attaque la rangée suivante. Vous êtes libre de laisser tomber quand vous en avez assez.

Finn la regarda qui commençait à essuyer les volumes et sa beauté naturelle le frappa de nouveau. Il hocha la tête et sortit un gros livre du rayon pour l'épousseter.

Durant plusieurs minutes, ils travaillèrent en silence puis Liberty éternua.

– A vos souhaits, dit Finn.

– Merci. C'est la poussière qui me chatouille le nez... Cet été, je suis gâtée en fait de recyclage. Tous les ans, je m'arrange en effet pour travailler une bonne partie des vacances dans un domaine qui me coupe totalement de l'enseignement.

– Qu'enseignez-vous?

– La littérature anglaise et américaine à des classes de troisième et de seconde.

Elle rangea le volume qu'elle venait d'essuyer.
– J'aime les livres. Je les ai toujours aimés.
Et elle rit de son rire cristallin si particulier.
– Je me rends compte aujourd'hui que je les aime quand ils sont propres... Enfin, cette boutique sera bientôt dépoussiérée.
– Aimez-vous l'enseignement? s'enquit Finn qui ne la quittait pas des yeux.
Elle haussa les épaules.
– Ça me convient... mais c'est assez ingrat. Dans l'ensemble les élèves ne s'intéressent pas à ce que je m'évertue à leur enseigner. Il y en a bien quelques-uns qui sont agréables et intéressants mais si peu...
Elle sortit un livre du rayon.
– A la fin de chaque année scolaire, j'ai besoin de changement et les étés me remontent le moral.
– Cela vous plaît-il de vivre à Chicago?
– J'y ai d'excellents amis.
– Ce n'est pas ce que je vous demande. On ne perd jamais le contact avec ses bons amis, même si l'on va vivre au loin... Dites, aimez-vous Chicago?
– Non, fit-elle du fond du cœur, j'ai horreur de cette ville. Dieu que ce livre est vieux! Je me demande s'il n'aurait pas une valeur en tant qu'antiquité.
– Vous avez horreur de Chicago?
Leurs regards se croisèrent.
– Oui. Les hivers y sont sinistres et interminables. Les étés sont chauds et étouffants. Le printemps et l'automne y sont agréables mais ils

sont si courts! A la fin de mes études j'ai trouvé ce poste à Chicago et je m'y suis installée mais je n'ai jamais pu m'habituer à cette ville.

– Dans ce cas pourquoi y restez-vous?

– Parce que j'arrive à le supporter.

Il secoua la tête.

– Je ne vous suis pas.

– Mon père est militaire et ma famille a passé son temps à déménager. Certains enfants aiment ce style de vie. Moi pas. Je suis fille unique et je me sentais très seule. Chaque fois que nous changions de ville, je redoutais toujours autant de me retrouver dans une école ou un lycée inconnu. Et quand j'ai pris ce poste de professeur de littérature à Chicago, je me suis promis que je resterais. Quoi qu'il advienne. J'ai besoin d'un point d'ancrage, vous comprenez...? Les mois d'été que j'emploie à faire autre chose m'offrent la diversion qu'il me faut.

– Ainsi vous restez dans une ville dont vous avez horreur, dit-il lentement, parce que vous êtes capable de le supporter.

– Absolument.

– Je vois.

De fait, il ne voyait pas très bien. Liberty Shaw était belle et intelligente et sa qualification professionnelle lui aurait permis de travailler partout ailleurs qu'à Chicago. Il pouvait comprendre qu'elle ait besoin de stabilité après l'enfance qu'elle avait eue. Mais de là à vivre dans une ville dont elle avait horreur! Elle avait dit n'être jamais tombée amoureuse, cela signifiait qu'aucun homme ne la retenait là-bas. Elle vivait à Chicago pour une simple raison d'endurance. Petite fille, elle avait été victime de la carrière militaire de son père mais aujourd'hui, elle était son propre bourreau.

– Bonjour! lança une voix de femme un tantinet snob. Y a-t-il quelqu'un?

– Oui, j'arrive, répondit Liberty.

Elle passa très vite à côté de Finn pour aller accueillir la cliente.

Les yeux de Liberty s'écarquillèrent bientôt en découvrant la personne qui attendait au comptoir. Grande et manifestement proche de la quarantaine, elle était vêtu d'un ensemble de soie turquoise très coûteux. Si elle souffrait d'un léger excès de poids, ses cheveux blonds étaient impeccablement coiffés, son maquillage était parfait et plusieurs bagues ornaient ses doigts surperbement manucurés.

Cette femme n'était pas particulièrement jolie, estima Liberty. Son nez était trop fort, ses paupières tombantes et sa bouche trop large. Mais il y avait cette intangible aura de richesse qui planait sur sa personne.

Une limousine blanche était garée le long du trottoir. Qui était cette cliente et que venait-elle faire dans une vieille librairie d'occasion de ce quartier déshérité de Los Angeles?

– Puis-je vous être utile? demanda Liberty en se postant derrière le comptoir.

La femme l'examina brièvement et se rembrunit.

– Il faut que je voie Beverly Shaw immédiatement, déclara-t-elle d'un ton un peu nerveux. Je suis Victoria Manfield. Beverly m'attend. Je lui ai envoyé un télégramme de Londres pour lui dire que j'arrivais.

– Je suis navrée, mademoiselle... madame...

– Mademoiselle Manfield. Où est Beverly? Je n'ai pas de temps à perdre.

– Ma tante n'est plus parmi nous, mademoiselle.

Son interlocutrice en resta bouche bée, puis elle se reprit :

– Vous n'êtes pas drôle, fit-elle sèchement. Dites à Berverly que je suis ici. Elle a quelque chose qui m'appartient et que je dois reprendre.

– Ma tante a réellement quitté ce monde, je vous assure.

– Seigneur, murmura Victoria Manfield, vous ne plaisantiez pas!

– Non.

– Vous êtes vraiment sa nièce?

– Oui, je suis Liberty Shaw.

– Mademoiselle Shaw, je dois reprendre ce qui m'appartient. Avez-vous hérité de cette boutique et des biens de votre tante?

– Oui mais...

– Avez-vous trouvé un petit paquet portant mon nom? J'ai appelé Beverly de Londres et elle m'a dit qu'elle l'avait. Il y a une bonne quinzaine de jours de cela. Elle m'a promis qu'elle l'envelopperait dans un papier brun, qu'elle inscrirait mon nom dessus et qu'elle le garderait en lieu sûr jusqu'à mon arrivée. J'avais d'importantes affaires à régler et je ne suis pas venue aussitôt... Je lui ai téléphoné voici plusieurs jours mais personne ne m'a répondu. Alors j'ai envoyé un télégramme. Et maintenant ne me dites pas que Bervely est...

Elle porta une main tremblante à sa joue.

– ... Mon paquet doit être ici, quelque part.

Elle parcourut les rayons du regard.

– La pagaille qui règne à *La Ruche* m'a toujours frappée! J'y suis venue plusieurs fois. Je suppose que l'appartement au-dessus est dans le même état.

– La pagaille? fit Liberty en contemplant les rayons surchargés d'un air innocent. C'est un peu encombré mais le poète latin Lucrèce a dit : « Ce qui est nourriture pour l'un est pour les autres un poison amer. » Ma tante Beverly et ses amis aimaient cette librairie telle qu'elle est.

– Oui, oui, c'est possible, fit Victoria avec un geste impatient de la main. Je veux mon paquet, mademoiselle Shaw.

– Je vous le remettrais avec plaisir mais je n'ai encore vu aucun paquet brun portant votre nom. Si vous me laissez votre numéro de téléphone, je vous appellerai dès que j'aurai mis la main dessus.

– Mais il me le faut tout de suite! s'écria la visiteuse d'une voix aiguë.

Finn émergea des profondeurs de *La Ruche*.

– Mademoiselle Shaw vous affirme qu'elle ne l'a pas vu.

Il approcha du comptoir et alla se poster auprès de Liberty.

– Manfield, reprit-il. Seriez-vous parente des Manfield, les célèbres magnats de Californie?

Son interlocutrice se raidit.

– J'ignore qui vous êtes, monsieur, mais je sais où vous voulez en venir. Vous désirez de l'argent, n'est-ce pas, en échange de mon paquet?

– Je n'ai pas dit ça, repartit Finn en levant les mains. Je me demandais simplement si vous êtes membre de cette famille-là.

– Vous le savez bien, lança Victoria Manfield en haussant le ton. Beverly n'aurait jamais cherché à me revendre un objet qui est ma propriété. Elle avait compris que c'était par erreur que mon... que ce qui m'appartient avait abouti ici. Tenter de m'extorquer de l'argent vous apportera de gros ennuis. Me suis-je bien fait comprendre?

Les mâchoires de Finn se contractèrent.

– Vous sautez à des conclusions qui sont fausses, mademoiselle. Et je ne vous conseille pas de jouer de votre influence dans cette partie de la ville. Vous n'êtes pas sur votre territoire, ici.

– Finn, je vous en prie, intervint Liberty en lui posant une main apaisante sur le bras. Mademoiselle Manfield, je vais chercher votre paquet. Et je vous promets que je vous appellerai dès que je l'aurai découvert. Je vous le remettrai, ainsi que ma tante vous l'avait promis. Si vous m'indiquiez exactement ce que je dois chercher, cela me...

– Non, coupa Victoria Manfield. C'est à moi...

C'est très personnel. C'est un petit... livre. Beverly a dû le placer en lieu sûr. Il fait environ dix centimètres sur quinze. J'y suis sentimentalement attachée, voyez-vous, et j'ai été désolée d'apprendre que la femme de chambre l'avait apporté ici avec d'autres vieux volumes. Il s'agit d'une erreur, d'une terrible erreur. Je dois le récupérer... Il n'a pas de valeur, sauf pour moi.

Elle eut un sourire forcé.

– Je suis sûre que vous êtes en mesure de comprendre l'attachement sentimental qu'on peut avoir pour un objet sans valeur marchande, mademoiselle Shaw.

– Oui, naturellement, dit Liberty. Je vous appellerai dès que je trouverai votre paquet.

– Non, non. Je suis terriblement occupée. C'est moi qui vous téléphonerai. Je présume que vous logez dans l'appartement de Beverly?

– Oui.

– Bien. Je vous contacterai prochainement.

Victoria Manfield sortit aussitôt et le chauffeur en livrée s'empressa de lui ouvrir une portière rutilante. La grosse voiture démarra très vite.

– Quelle femme! s'exclama Liberty en se tournant vers Finn. Les riches oisifs font des histoires pour rien. Se mettre dans un état pareil à cause d'un livre auquel on tient pour des raisons sentimentales!

Elle haussa les épaules.

– Cela me va bien de parler ainsi alors que j'ai toujours la poupée qu'on m'avait offerte pour mes quatre ans... Je pense que Victoria Manfield est à la recherche d'un recueil de mélodies de son enfance ou quelque chose du même genre.

– Je ne crois pas, dit lentement Finn.

– Pourquoi pas?

– Je n'ai pas cette impression... Évidemment je peux me tromper parce que je ne connais pas sa personnalité mais je crois qu'elle était plus que désemparée d'avoir perdu un souvenir cher. Elle m'a semblé sous l'emprise de la peur.

– C'est ridicule! Si je perdais ma poupée, j'aurais du chagrin mais je n'aurais assurément pas peur. Victoria Manfield doit être une femme hyperémotive.

– Peut-être bien que oui; peut-être bien que non. Pourquoi ne pas interrompre notre nettoyage pour chercher son précieux livre? Sa majesté Victoria ne cessera pas de vous harceler par téléphone jusqu'à ce que vous le retrouviez.

– J'ai l'impression très nette que vous ne l'aimez pas du tout.

– Je n'aime pas les airs supérieurs qu'elle affiche du fait qu'elle a de l'argent... L'empire des Manfield est énorme. Ils ont des intérêts dans toutes sortes de domaines. On parle constamment d'eux dans la rubrique mondaine des quotidiens.

– Je me demande comment elle a pu découvrir *La Ruche*.

Finn haussa les épaules.

– Qui sait? Peut-être est-elle passée par hasard dans le coin et a-t-elle eu envie d'entrer dans cette librairie qui sort de l'ordinaire? C'est ainsi que j'ai fait la connaissance de Beverly, un beau jour d'il y a cinq ans. Votre tante avait un grand magnétisme personnel, Liberty. Moi, j'abandonnais volontiers les hauteurs de Beverly Hills pour venir lui rendre visite ici.

– Beverly Hills? répéta Liberty. Vous devez être un peintre de renom. C'est merveilleux, Finn. Cela me fait toujours plaisir d'apprendre qu'une personne a réalisé son rêve. Vous avez dû travailler dur, ce qui n'apporte pas toujours la célébrité. Je suis ravie pour vous.

– Merci, dit-il, un peu surpris par sa déclaration. D'ordinaire, quand je dis que je vis à Beverly Hills, je m'attire des réflexions sur ma fortune. Mais vous avez pensé à mon rêve de réussite qui s'est réalisé... C'est charmant, Liberty, charmant, murmura-t-il en se rapprochant d'elle.

– L'argent n'est pas si important que cela si l'on n'est pas heureux, dit-elle d'une voix douce.

Il promena un doigt léger sur la joue de la jeune femme.

– Vous avez raison. Il y a pourtant des gens qui placent l'argent en tête de liste.

Un frisson parcourut Liberty tandis que Finn continuait à lui caresser la joue.

Une main capable de créer des œuvres d'art, songea-t-elle. Une main forte, tendre, qui dispensait une chaleur incroyable. Comment ses mains de peintre caresseraient-elles son corps nu? Que voyait Finn de son œil d'artiste lorsqu'il la contemplait? Quelle image d'elle saisirait-il pour toujours sur une toile s'il la peignait?

– « Le pinceau du peintre consume ses rêves », murmura-t-elle en le fixant d'un air pensif.

– C'est le poète anglais William Butler Yeats qui a dit cela, répondit-il d'une voix rauque.

Il soupira et son index abandonna la joue qu'il caressait.

– Elle est juste, cette citation. Mon travail m'absorbe si totalement qu'il n'y a pas de place dans ma vie pour autre chose que la peinture.

Il recula en secouant la tête.

– J'ai l'air de me plaindre mais non, Liberty, je ne me plains pas. J'ai travaillé dur, je suis très heureux de mon succès et du soutien que j'ai trouvé auprès de mon père et de Tina. Je me suis fait un nom dans la peinture et c'est ce que je désirais depuis toujours.

Elle le contempla longuement avant de répondre :

– Un jour, cette année, j'ai demandé à un écrivain de venir parler devant mes élèves. Il a dit entre autres que son métier était une activité de solitaire et qu'à son avis il devait en aller de même pour les artistes peintres et pour les compositeurs de musique. C'est le lot de ceux qui ont besoin de travailler seuls afin d'extérioriser ce qui les consume intérieurement. Il a dit que l'écrivain doit écrire, que le peintre doit peindre, et ainsi de suite pour se réaliser pleinement, pour trouver le bonheur et la paix de l'âme. C'est vrai, n'est-ce pas?

Finn hocha la tête.

– Êtes-vous un solitaire, Finn?

Grands dieux! pensa-t-il soudain, pris de panique. Il se sentait nu et exposé jusqu'au plus profond. Jamais il n'avait parlé de la sorte à personne. Ni à Tina, ni à son père, ni à son agent qui était également son ami. Avec sa voix douce et des grands yeux bruns compréhensifs, Liberty lui donnait l'impression d'avoir accès à son âme. Elle le forçait à regarder en lui-même pour répondre à des questions qu'il ne se posait que passagèrement. Il savait depuis longtemps que la vie qu'il avait choisi de mener impliquait la solitude mais Liberty lui faisait prendre conscience du côté glacial de cette solitude.

C'en était trop!

– Finn?

– Oui, s'entendit-il répondre. Oui, je suis un solitaire.

Il tendit les mains et, attirant la jeune femme contre lui, il enfouit son visage dans la masse parfumée des doux cheveux auburn.

– Liberty Shaw, murmura-t-il, qu'êtes-vous en train de me faire?

Elle referma les bras sur lui et posa la tête contre le torse de Finn. Les battements de son cœur étaient nettement perceptibles, ainsi que la chaleur et la force qui l'habitaient et elle en éprouva une joie indicible.

– Pardonnez-moi, murmura-t-elle en réponse, je ne voulais pas être indiscrète.

Elle ne voulait pas que Finn soit solitaire. Toute son enfance, la jeune femme avait connu la solitude et c'était une compagne de malheur qui développait son pouvoir maléfique dans les ombres de la nuit. Il ne fallait pas que Finn se sente seul. Pas Finn.

Il leva la tête et caressa doucement le sommet du crâne de Liberty avec son menton, sans desserrer son étreinte.

– Vous me prenez au dépourvu à un bien mauvais moment, Liberty. Je suis à bout de force parce que j'ai travaillé d'arrache-pied pendant des mois afin d'être prêt pour l'exposition de mes toiles qui vient de commencer. C'est à cause de cela que je venais voir Beverly. Je passe ici quand j'ai besoin d'échapper à tout et de recharger mes batteries... Vous ne me voyez pas sous mon meilleur jour.

– Mais... je vous vois peut-être tel que vous êtes réellement, dit-elle, la tête toujours nichée contre son torse. Il n'y a pas de honte à reconnaître que vous êtes un solitaire, Finn. Cela ne vous déprécie pas. Je sais ce qu'est la solitude parce que j'ai grandi en sa compagnie. C'est pour cette raison que je reste à Chicago. Je suis entourée de bons amis et je ne m'y sens pas seule. La ville ne me plaît pas mais j'ai besoin de ce qu'elle m'offre et j'ai décidé d'y rester, en fin de compte. Peut-être est-il temps que vous fassiez un choix, vous aussi. Peut-être est-il temps que vous accordiez de la place dans votre vie à autre chose, en plus de la peinture... Il n'y a que vous qui puissiez répondre à cela.

Finn se souvint brusquement de ce que son agent lui avait dit après le vernissage : « Cette fois-ci, c'est la réussite, Finn. A présent, tu peux t'accorder du répit, et apporter de l'équilibre à la vie que tu mènes. » Certes il avait enregistré ces paroles mais il n'en avait pas mesuré la portée. Liberty l'obligeait à se remettre en question. Dire qu'il venait tout juste de la rencontrer! Il avait pourtant l'impression de la connaître depuis toujours. Ses réactions étaient hors de proportion avec la réalité. Et cela parce qu'il était fatigué.

– Non, Liberty, la vie que je mène me convient parfaitement. J'ai simplement besoin de souffler un peu et je me sentirai ensuite très bien. Comme toujours.

Elle leva la tête pour le regarder.

– De même que je consacre moi-même mes étés à autre chose que l'enseignement?

Il détourna les yeux.

– Oui, dit-il d'un ton bourru. Exactement.

– Je vois.

C'était précisément cela qui ébranlait Finn jusqu'au plus profond de lui-même. Liberty semblait capable de lire jusque dans son âme. Dès qu'il se serait un peu reposé, son sentiment de solitude retournerait dans l'ombre qu'il n'aurait jamais dû quitter.

– Parfait, dit-il en s'efforçant de prendre un ton léger.

Il desserra à regret son étreinte et la jeune femme s'écarta de lui.

– Pendant que j'en suis à mon activité de diversion, comme vous, partons à la recherche du paquet de Victoria Manfield, Liberty.

Il la consulta du regard. Elle le fixait, l'air grave.

– Ai-je le nez à l'envers? plaisanta-t-il.

– Non, fit-elle en réussissant à sourire.

Finn la fuyait et il se fuyait. Or, nulle part on n'échappait à la solitude. Il devrait lutter, faire des choix et apporter des changements à son existence mais il n'était pas disposé à l'admettre. Tant pis. Cela ne lui ressemblait pas de violer l'intimité des autres et cependant Liberty était désolée qu'il soit si solitaire. Voilà qui était absurde puisqu'elle connaissait à peine cet homme.

– Cherchons ce précieux paquet, dit-elle en revenant à la réalité. Victoria Manfield a dit que tante Beverly allait le mettre en lieu sûr.

Elle contempla les rayons.

– Rien n'a l'air en sûreté ici. Tout a l'air en désordre.

Finn éclata de rire.

– Vous avez raison. A mon avis, nous le trouverons dans l'appartement.

Il consulta sa montre.

– C'est le moment de déjeuner. Beverly fermait durant une heure et les gens le savent. Je vous propose d'aller chercher des sandwiches. Et quand nous les aurons mangés, nous pourrons chercher le paquet dans l'appartement.

– Bonne idée. Plus vite Victoria le récupérera et mieux cela vaudra. J'ai le sentiment qu'elle n'arrêtera pas de me relancer jusqu'à ce que je le trouve.

– Certainement. Je vous laisse quelques minutes...

Il avança la main vers la nuque de Liberty, inclina la tête et donna un baiser ardent à la jeune femme qui n'avait pas bougé d'un pouce.

– ... J'avais besoin de cela...

A ces mots, il se détourna et sortit à grands pas de *La Ruche*.

Liberty reprit son souffle puis elle posa un doigt sur ses lèvres. Son cœur battait la chamade. Ce que Finn éveillait en elle avec un simple baiser était prodigieux et si bouleversant, si passionnant, si...

« Cela suffit, Liberty », se morigéna-t-elle.

*
* *

Au retour de Finn, Liberty ferma *La Ruche* et déclara :

– Suivez-moi en haut... Vous allez voir, c'est encore plus encombré qu'ici.

– L'appartement n'a pas d'entrée qui donne sur l'extérieur?

– Non. L'escalier est au fond de la boutique.

Les marches étaient étroites et raides et Finn monta à la suite de Liberty, résolu à éviter toute discussion d'ordre psychologique avec elle. Il allait entretenir une atmosphère détendue pendant le repas et goûter la compagnie de la jeune femme dans cette étrange petite librairie.

Et il l'embrasserait chaque fois que l'occasion se présenterait.

Embrasser Liberty, c'était le paradis sur terre. Finn savait que tout cela était temporaire, qu'il s'agissait d'une période de diversion pour chacun d'eux; dès lors, pourquoi ne pas savourer l'extase de nouveaux baisers? Quant à sa solitude, il en avait chassé l'idée de son esprit.

– Et voilà, fit Liberty.

Elle poussa la porte de l'appartement.

– Beverly devait acheter tous les livres qu'on lui proposait, constata Finn à la vue des cartons; sans jamais rien refuser.

– Commençons par manger, proposa Liberty.

– J'ai aussi de quoi boire, annonça Finn en s'asseyant à la table. J'espère que cela vous plaira.

– Je ne suis pas difficile, répondit-elle pendant qu'il vidait le contenu de son grand sac brun.

Ils attaquèrent de bon appétit les gros sandwiches à la dinde.

– C'est délicieux, dit Liberty. Je ne crois pas que nous trouverons le paquet dans les cartons de livres. Un endroit sûr, ce serait plutôt un tiroir ou une étagère... J'ignore tout de la mentalité de tante Beverly mais une chose est certaine, ce n'était pas une femme très rationnelle.

– Je suppose que tous ses vêtements, ses affaires personnelles sont encore ici?

– Oui. Elle n'avait pas beaucoup d'habits. La penderie est à moitié vide.

– Vraiment? Elle raffolait pourtant de tenues plus extravagantes les unes que les autres. Et je suis sûr qu'elle possédait un châle de chacune des couleurs de l'arc-en-ciel.

Liberty se figea sur sa chaise.

– Finn, je n'en ai pas trouvé un seul. Tante Beverly portait-elle toujours des tas de bracelets et de colliers?

– Oui. Une quantité de bijoux fantaisie.

– Il n'y en a pas, ici. Lorsque j'ai vidé mes

valises, j'ai eu toute la place qu'il me fallait pour ranger mes affaires. Je me suis simplement dit que ma tante ne possédait pas grand-chose... Finn! s'écria-t-elle, ce n'est pas normal!

– Calmez-vous. Peut-être Beverly se savait-elle malade et avait-elle distribué ce qu'elle possédait aux gens qu'elle aimait. Cela expliquerait l'absence d'aliments pour chat et celle de Colette.

– C'est possible.

– Tout de même...

– Tout de même quoi?

– Je ne sais pas, fit-il en se passant la main sur la nuque. Beverly a pu tenir à tout organiser avant sa fin mais cela ne cadre pas avec sa façon d'être en général. Et pourquoi ne pas garder ce qu'elle avait jusqu'au bout, surtout Colette, en laissant des instructions précises à son notaire?... Elle ne pouvait pas savoir exactement quand elle mourrait. Aucun médecin ne dit à un client qu'on l'enterrera dans quinze jours ou trois semaines.

Liberty se rembrunit.

– Je vois ce que vous voulez dire... Tante Beverly préférait peut-être donner elle-même Colette, ses châles et ses bijoux aux gens qu'elle affectionnait...

Elle secoua la tête.

– J'ai reçu à la librairie des personnes qui ont dû être très proche d'elle. Aucune ne paraissait savoir qu'elle souffrait du cœur.

– Beverly se fardait beaucoup. Son fard à paupières était toujours assorti à la couleur de son châle du jour. Avez-vous regardé dans l'armoire à pharmacie?

– Non, pas encore. J'ai une petite trousse de toilette que j'ai posée sur le rebord du lavabo avec ma brosse à dents.

Elle se leva.

– Je vais voir.

Quelques minutes plus tard, Liberty revint en silence et se laissa tomber sur sa chaise.

– Vous êtes bien pâle, dit Finn. Qu'y a-t-il?

– L'armoire à pharmacie est vide. Même sa brosse à dents et son dentifrice ont disparu. Le notaire m'avait assuré que personne n'était entré ici.

Finn prit sa main dans la sienne et lui fit un sourire rassurant.

– Ne soyez pas si nerveuse. Et finissons de manger. Nous serons ensuite d'attaque pour réfléchir.

3

– VOUS avez l'air bien grave, lança Liberty, une fois leurs sandwiches terminés. Comme un vrai détective qui s'interroge.

– C'est probablement la tradition familiale... Je vais vous expliquer.

Et il se pencha par-dessus la table.

– Notre mère est morte quand nous étions enfants et c'est notre père qui nous a élevés, ma sœur Tina et moi. Notre père, c'était Chuck O'Casey, l'un des meilleurs agents secrets des États-Unis. Nous l'avons perdu l'année dernière.

Liberty faillit s'étrangler en buvant son Coca.

– Un agent secret? Un espion?

– Le terme n'est pas tout à fait exact. Mon père accomplissait des missions spéciales pour le gouvernement. Il s'était juré de ne pas mentir à ses enfants et il nous parlait de ce qu'il faisait. Quand nous avons grandi, il s'est mis à nous fournir davantage de détails sur ses activités. Tina et moi n'avons jamais soufflé mot de cela à personne.

– Des détails? Sur des histoires d'assassinat?

– A l'occasion... Il nous a aussi initiés dès

l'enfance à pratiquer l'autodéfense, à nous servir d'armes à feu, à forcer les serrures et à déjouer les systèmes d'alarme.

– C'est prodigieux! s'exclama Liberty, ébahie.

– Tina et moi avons hérité du tempérament artiste de notre mère. Je me suis dirigé vers la peinture et Tina a choisi la décoration intérieure. Nous sommes toujours restés très unis, tous les trois. Notre père approuvait que chacun de nous suive sa voie propre. Tina et moi avons dû achever nous-mêmes sa dernière mission parce qu'il est mort avant de l'avoir terminée... On a eu du mal, et ma sœur a demandé de l'aide à Jared Loring après que Mickey Mason m'ait enlevé.

– Dites-moi que vous plaisantez, Finn, murmura Liberty, un peu décontenancée.

– Pas le moins du monde.

– C'est ce que je craignais!

– Tina et Jared sont tombés amoureux l'un de l'autre. Ils se sont mariés et ils vivent maintenant à Las Vegas.

– La cité du jeu.

– Jared travaille au casino *Miracles* avec une excellente équipe de collaborateurs : Nick, Trig, Tortue, Pico... Mon beau-frère en est copropriétaire avec son ami Tucker Boone.

– Parlez-moi de ces gens, fit la jeune fille, intriguée par l'enthousiasme de Finn à leur égard.

– Tina est très heureuse. Nick a épousé une femme sensationnelle, Philippa, peu de temps après le mariage de ma sœur... Voyez-vous, Liberty, grâce à mon père, à Jared et à quelques autres, je ne suis pas trop ignorant de ce qui peut se tramer dans l'ombre. J'ai pris l'habitude d'observer et d'écouter, de me tenir sur mes gardes... Et je vous certifie que les faits qui entourent la fin de Beverly ne collent pas.

Elle se pencha vers lui.

– Peut-être que si... Il existe sans doute une explication très simple pour chacune des énigmes qui s'offrent à vous. Je suis sûre que votre père vous a dit qu'il ne faut jamais sauter à des conclusions hâtives.

– Non, Liberty. Cette affaire est louche.

– Vous me faites peur!

Il prit une de ses mains dans les siennes.

– Mon père m'a appris à regarder la réalité en face. Il apparaît de plus en plus nettement que votre tante a plié bagages et s'en est allée.

La jeune femme dégagea sa main.

– C'est ridicule. J'ai vu son notaire et nous avons parlé tous les deux. Il a exécuté ses dernières volontés.

– Bien, dit Finn en se levant. Nous allons commencer par lui.

– Commencer quoi?

– A trouver les réponses à nos trop nombreuses questions. Allons-y.

Liberty se leva.

– Chez le notaire?

– Oui.

– Mais... *La Ruche?* Et nous sommes censés chercher le paquet de Victoria Manfield.

– Le paquet peut attendre un peu. Quant à la

librairie, il suffit de changer l'heure indiquée sur le carton pour annoncer que vous ouvrirez demain matin à neuf heures.

– Très bien, Sherlock, allons interroger le notaire, comme dans un roman policier. Vous vous trouverez bête quand il nous aura tout expliqué et que le mystère se dissipera... mais je vous remonterai le moral. Et puis...

Elle se tut.

– Et puis?

– Ce sera un réconfort de savoir ce que sont devenues les affaires personnelles de ma tante et qui a adopté Colette, mon cher Smiley.

Finn éclata de rire.

– Sherlock Holmes, Smiley, on dirait que vous êtes une grande lectrice de policiers.

– Les hivers de Chicago sont interminables, Hercule Poirot. Oui, mon cher Watson, je lis toutes sortes de livres.

– Jusqu'aux pavés de John Le Carré?

– Il paraît qu'il a travaillé dans le services secrets, comme votre père, Chuck O'Casey.

– Parfaitement, miss Marple. Mettons-nous en route.

– Comme vous voudrez, James Bond.

Le bureau du notaire se trouvant dans le quartier, nos deux héros s'y rendirent à pied.

– Il s'appelle Clarence Smith, expliqua Liberty en cours de route. Je lui donne environ soixante ans. C'est un petit homme rond et très jovial. Il ferait un excellent Père Noël s'il se laissait pousser la barbe. En me tendant les clés, il m'a souhaité bonne chance avec *La Ruche*.

– Hum.

– Les célèbres détectives ne disent pas « hum ». Ils ont toujours des répliques percutantes.

– Hum...

Finn lui lança un coup d'œil de côté.

Liberty avançait sur l'étroit trottoir jonché de détritus divers, résolue à éclaircir le mystère. En découvrant *La Ruche* et son voisinage, les femmes qu'il connaissait se seraient empressées de regagner leur domicile et de mettre la librairie en vente. Liberty Shaw n'était décidément pas une femme ordinaire.

– C'est là, Sherlock Holmes, annonça-t-elle enfin.

Finn O'Casey contempla le bâtiment de trois étages, passablement délabré.

– Ce n'est pas très rupin, Marple, mais ma tante a dû s'adresser à un ami à elle. Le bureau de Clarence Smith est tout en haut.

Finn suivit Liberty dans l'escalier de bois aux marches qui craquaient.

– Avez-vous remarqué que tous ces bureaux sont vides? demanda-t-il, sur le palier du premier étage.

– Non, je n'ai pas fait attention.

– Hum.

Sur le palier du troisième, la jeune femme s'engagea dans un couloir sombre.

– C'est tout au fond, précisa-t-elle.

Devant la dernière porte, elle s'arrêta si brusquement que Finn faillit la heurter.

– Qu'y a-t-il?

La plaque qui annonçait « Clarence Smith, notaire » a disparu.

– Voyons, murmura-t-il en tournant sans bruit le bouton de porte.

Le bureau était totalement vide.

– Votre Clarence Smith a disparu, lui aussi!

– Finn, je ne comprends pas. Je l'ai vu ici même, je le jure. Il était assis derrière un bureau. Moi, j'étais là, sur une chaise. Il y avait une armoire métallique grise contre le mur...

– Je vous crois. On vous a monté un beau petit scénario. Smith a joué son rôle et puis rideau!

– Un scénario?

Finn posa les mains sur les épaules de la jeune femme et lui dit d'une voix radoucie :

– Liberty, il y a du louche. Et je n'arrive pas à imaginer que la Beverly Shaw que je connaissais... que je connais... mette sa nièce en danger. Mais on ne sait pas si Beverly est réellement derrière tout ceci.

– Que voulez-vous dire?

– Elle sert peut-être d'otage dans le jeu d'une autre personne.

– Quel jeu? Et pourquoi serais-je impliquée, moi aussi? Croyez-vous que ma tante soit vivante?

Il hocha la tête.

– Tout porte à le croire. Elle, ou quelqu'un d'autre, veut faire croire à sa mort mais je pense plutôt qu'elle est partie avec ses bagages et Colette. A-t-elle agi de gré ou de force... mystère.

Pour accréditer cette histoire, vous avez hérité de *La Ruche.*

– Mais pourquoi? Que se passe-t-il vraiment? C'est effrayant!

– Non, à ce stade, les choses sont simplement difficiles à démêler.

– Qu'allons-nous faire?

Il l'attira contre lui.

– Vous tremblez comme une feuille... Liberty, vous n'êtes pas seule, je suis avec vous.

Et c'était si bon d'être dans ses bras! Avec reconnaissance, la jeune femme se blottit contre son corps musclé. Elle était en plein cauchemar mais Finn assurait sa protection.

Elle redressa la tête et réussit à esquisser un faible sourire.

– Je ne vais pas craquer, Finn.

Il inclina la tête vers elle.

– Je ne vous abandonnerai pas dans cette affaire, dit-il d'une voix rauque.

– Mais cela ne vous concerne pas.

– Vraiment? murmura-t-il avant de s'emparer de sa bouche.

Toute pensée déserta le cerveau de Liberty tandis que la bouche de Finn jouait avec ses lèvres et la jeune femme s'abandonna à son baiser. La chaleur de Finn envahit son corps, allumant sa passion, telle une torche vive.

De son côté, il désirait Liberty sans retenue. L'embrasser, la tenir dans ses bras, la toucher lui donnaient l'envie folle de l'aimer à loisir durant des heures et des heures. A ce désir s'ajoutait le besoin fervent de la protéger contre le mal, de la réconforter et d'effacer la peur qu'il avait lue dans ses grands yeux. Il voulait s'interposer entre Liberty et tout ce qui risquait de l'alarmer.

D'une façon étrange, il se trouvait attiré, à la fois physiquement et sentimentalement, vers un lieu où il n'était jamais allé, où il n'était pas sûr de vouloir aller. La jeune femme était en train de tisser une toile autour de son cœur, de son esprit et de son corps. Une toile qu'il avait toujours évitée de peur d'y être retenu. Et cette toile était d'autant plus dangereuse que Liberty n'était pas consciente de ce qu'elle faisait. Il risquait d'être prisonnier à jamais, et de rester impuissant et désarmé le jour où elle s'envolerait loin de lui, une fois que l'été serait terminé.

Finn reprit son souffle et s'empara de nouveau de la bouche de la jeune femme, incapable de renoncer à boire son ineffable douceur. Tout son corps brûlait de désir. Il fallait qu'il s'éloigne d'elle avant qu'il soit trop tard.

Et pourtant il savait qu'il ne pouvait pas la laisser seule devant la montagne de questions sans réponses concernant Beverly Shaw.

Pour l'instant, il allait rester avec elle et ensuite il regagnerait l'univers sûr de son atelier lorsque le mystère de *La Ruche* serait éclairci.

Il se redressa et se détacha de Liberty qui revint lentement des brumes sensuelles où le contact magique de cet homme l'avait plongée.

Finn s'était tourné vers la fenêtre. Dans le silence qui planait sur le bâtiment désert, il déclara d'une voix grave :

– La toile de notre vie est d'un fil mélangé, alliant le bien et le mal.

– C'est de Shakespeare, fit-elle automatiquement, l'air absent. Finn, êtes-vous en colère?

Il secoua la tête avant de se retourner vers elle et il plongea les mains dans les poches revolver de son jean.

– Uniquement contre moi, Liberty. Je vous ai prise dans mes bras pour vous réconforter parce que vous aviez peur et avant de comprendre ce que je faisais, je vous embrassais déjà... On dirait que je ne me domine plus. Quand je vous embrasse, je n'ai plus envie de m'arrêter et je vous désire davantage. Je me vois en train de vous dévêtir lentement..., très lentement.

– Finn..., commença-t-elle en sentant le rouge lui envahir les joues.

– Et je m'imagine en train de vous aimer, des heures et des heures... Comme si cela ne suffisait pas, je désire aussi vous protéger, vous mettre à l'abri du mal, pour que vous n'ayez plus peur de rien ni de personne.

Il dégagea les mains de ses poches et en passa une dans ses cheveux blonds.

– Je ne veux pas être pris au piège d'une toile féminine, même si elle est tissée par une personne qui n'en a pas conscience.

– Quoi? murmura-t-elle en fronçant les sourcils.

– C'est de la folie... Vous êtes une menace pour moi.

Liberty planta ses poings sur ses hanches.

– Monsieur O'Casey, jamais on ne m'a insultée de la sorte! Moi, une menace? Pourquoi? Parce que vos baisers me plaisent? Parce que je n'ai jamais répondu aux baisers d'un homme comme je réponds aux vôtres? Moi non plus, je ne me domine plus... Ce n'est pas moi qui suis une menace, c'est vous qui constituez un danger pour moi... Alors ne m'approchez plus de vos lèvres tentantes.

Elle croisa les bras sur sa poitrine et releva le menton.

– Compris?

– Je... Vous ne manquez pas de caractère.

Elle marchait déjà vers la porte.

– Attendez une minute, lança-t-il.

– Non!

– Liberty, je vous en prie, insista Finn d'une voix douce. Ne sortez pas de cette pièce.

Ce n'était pas juste, pensa-t-elle en s'arrêtant. Comment osait-il lui parler de cette voix insinuante et si tendre après s'être emporté contre elle? Ce n'était pas juste du tout. Et elle n'allait pas se tourner vers lui.

Liberty pivota sur elle-même pour le regarder.

Finn vint lentement à elle.

Il y avait une étrange lueur dans ses yeux bruns, pensa-t-elle en faisant marche arrière, et les mouvements de son long corps souple évoquaient un fauve sur la piste de sa proie.

Éperdue, elle se colla le dos au mur en se demandant où avait pu disparaître la porte et elle fixa cet homme qui approchait.

Il posa les mains à plat sur le mur de part et d'autre de sa tête et il la regarda dans les yeux sans que son corps entre en contact avec le sien.

– Il semblerait, mademoiselle Shaw, que nous ayons le même problème tous les deux, dit-il d'une voix caressante. A votre avis, que devrions-nous faire?

– Comment le saurais-je? Je n'ai jamais rien éprouvé de ce genre dans le passé.

Elle marqua une pause.

– C'est peut-être un simple désir physique passager.

– Non, dit-il, l'air songeur. Ce type de désir, je le reconnaîtrais. J'ai exploré ce domaine.

– Y avez-vous fait de bons séjours?

– Pas vraiment... Non, ce n'est pas simplement du désir.

– Bien, répondit-elle en levant les yeux au plafond. Voulez-vous me laisser passer, maintenant? Je me sens comme une souris prise au piège. Poussez-vous.

– Non.

– Oh!

– Liberty, nous sommes sur la même longueur d'ondes, tous les deux. Et il se passe entre nous quelque chose qui ne nous était encore jamais arrivé, n'est-ce pas?

– Oui, acquiesça-t-elle, en hochant la tête. Maintenant, poussez-vous.

– Non.

– C'est trop fort!

Il était si près qu'elle sentait sa chaleur, qu'elle

respirait son odeur unique entre toutes. S'il ne bougeait pas, elle finirait par se blottir contre lui... Et elle ne se le pardonnerait jamais.

– Je crois, dit Finn, que nous devrions suivre le courant qui nous entraîne.

– Que dites-vous ?

– Cela nous permettrait de découvrir ce qui se passe en nous. Si nous avons envie de nous embrasser, embrassons-nous.

« C'est génial », faillit-elle s'écrier mais elle se força à dire :

– Je ne suis pas sûre que ce soit une bonne idée.

– Mais si ! C'est la seule manière de résoudre cette énigme qui se pose à nous.

Il approcha son corps du sien.

– Peut-être..., murmura-t-elle, tout juste capable de respirer... Oui, embrassez-moi.

Il enfouit les doigts dans ses longs cheveux soyeux en plaquant sa bouche sur la sienne.

Liberty glissa les bras autour de sa taille tandis que leurs bouches s'unissaient. Elle ne voulait plus penser. Elle le ferait plus tard... Pour l'instant... oui, mieux valait suivre le courant qui l'entraînait.

« C'est de la folie », se reprochait Finn pendant que sa bouche jouait avec celle de la jeune femme. Mais la vision de Liberty sortant du bureau vide l'emplissait d'une panique glaciale.

Il s'était conduit comme un imbécile pour la convaincre de rester. Mais pourquoi diable se lançait-il tête baissée dans une entreprise où abondaient les signaux de danger? Voulait-il vraiment la réponse à ce qui se passait entre eux? Non... Il réfléchirait à cela plus tard...

Le baiser s'intensifia, devint frénétique. Finn sentit un grondement monter de sa poitrine tandis qu'une douce plainte émanait de la gorge de Liberty. Et le baiser se poursuivit.

Un craquement déplaisant qui venait de loin parvint à Finn et le contraignit à reprendre contact avec la réalité. Il se raidit en levant la tête.

– Liberty, fit-il, le souffle court, quelqu'un monte l'escalier.

– Quoi? s'étonna-t-elle en ouvrant les yeux.

– Chut. Écoutez.

– Oui... J'entends marcher. Qu'est-ce que c'est?

– Il n'y a qu'une façon de le savoir, répondit-il en tendant la main vers le bouton de porte.

– Non, Finn, si c'était un cambrioleur?

– Il n'y a rien à voler dans cet immeuble abandonné... Chut!

Il entrebâilla la porte et Liberty le rejoignit sur le seuil pour regarder elle aussi.

Un homme venait d'émerger sur le palier et s'engageait dans le couloir, marchant droit vers eux. Petit et corpulent, il était vêtu d'un pantalon gris froissé et d'une chemise bleue.

– Clarence Smith! murmura la jeune femme. C'est lui, Finn, que j'ai vu ici.

– Chut!

L'homme s'arrêta, sonda les profondeurs du couloir puis tourna les talons et repartit vers l'escalier.

– Smith! cria Finn. Je veux vous parler.

Clarence Smith dévalait déjà l'escalier et Finn se lança à sa poursuite.

– Restez ici, commanda-t-il à Liberty pardessus son épaule.

– Non, pas question!

Elle courut derrière lui mais le perdit de vue quand il atteignit l'escalier. Elle commençait à dévaler les marches à son tour lorsqu'elle entendit le bruit sourd d'un corps qui tombe.

– Mon Dieu! murmura-t-elle en accélérant.

Sur le palier du premier étage, elle aperçut Finn qui était étalé sur le dos et une grande corbeille à papiers qui se balançait près de ses pieds.

– Finn!

Elle se laissa tomber à genoux près de lui.

– Ouvrez les yeux, je vous en prie! Finn, êtes-vous mort! Parlez.

– Fichtre non!

Il ouvrit les yeux en poussant un gémissement et porta immédiatement la main à son crâne.

– Finn?

– Vous savez, miss Marple, votre petit homme sympa, ce n'était pas le Père Noël!

4

LIBERTY insista pour que Finn s'appuie sur elle afin de regagner *La Ruche*. Sans protester, il passa le bras autour de ses épaules gracieuses tandis qu'elle glissait le sien autour de sa taille. Il ne souffrait plus que d'un vague mal de tête et avait une bosse au crâne mais il n'avait pas l'intention de se priver de la délicieuse sollicitude de la jeune femme.

– Ça peut aller?

– Hum...

– Dites, comment se fait-il qu'un peintre comme vous puisse faire des citations littéraires à la manière d'un vrai professeur?

– Mon père adorait lire les classiques. Et il avait coutume de nous lancer des citations, à Tina et à moi, en nous demandant de qui elles étaient. Quand il était absent, je cherchais avec ma sœur dans les livres de sa bibliothèque des phrases dont il ne serait pas capable de retrouver l'auteur.

Liberty rit de plaisir.

– Et vous parveniez à le coller?

Dieu qu'il aimait son rire cristallin!

– Non, répondit-il, jamais. Et ce petit jeu a continué durant des années. Tina et moi nous sommes mis à goûter le charme de la lecture... Ce que mon père a réussi avec nous, j'espère que je le réussirai un jour avec mes enfants.

Elle le dévisagea, surprise.

– Vous avez envie d'avoir des enfants? Une femme et une famille?

Avait-il réellement dit cela? Cela l'étonnait. Il s'était probablement cogné la tête plus fort qu'il ne le pensait, lui qui avait depuis longtemps rejeté l'idée de fonder une famille au dernier rang de ses préoccupations, sachant que toute son énergie devait être consacrée à sa peinture.

Aimerait-il avoir une famille qu'il retrouverait chaque soir, au sortir de son atelier? Oui, cela lui plairait infiniment. Pourtant, jusqu'à cet instant précis où il arpentait un trottoir sale avec Liberty à son côté, Finn n'en avait jamais eu conscience.

– Finn?

– Oui, j'aimerais avoir une femme et une famille, répondit-il d'un ton bourru. Plus tard... Et vous, avez-vous envie d'avoir un mari et des enfants?

– Oui, plus tard.

Ils traversèrent une rue en silence puis Liberty soupira.

– Finn, Clarence Smith m'a joué la comédie, l'autre jour. D'ailleurs, ce ne doit pas être son vrai nom. Et les papiers que j'ai signés pour *La Ruche* n'ont aucune valeur.

– En avez-vous des exemplaires?

– Oui.
– Je connais quelqu'un à la mairie qui pourrait nous renseigner là-dessus. Je vais lui passer un coup de fil quand nous serons à la librairie.
– Clarence Smith s'était montré si sympathique, si aimable, tout comme...
– Le Père Noël! Vous me l'avez déjà dit, miss Marple.
– Et ce salaud qui vous a lancé une corbeille à papiers à la figure!
– Pas exactement, expliqua lentement Finn. Il l'a jetée derrière lui et je... J'ai perdu l'équilibre en essayant de l'éviter. J'ai voulu faire un plongeon de style olympique et j'ai atterri brutalement sur le palier où je me suis cogné le crâne.
Du coin de l'œil, il guetta la réaction de la jeune femme.
– Ah bon? Je me demande si James Bond a jamais récolté une bosse en tentant d'éviter une corbeille à papiers.
– Hum!

Une fois dans l'appartement de Beverly Shaw, Liberty tint absolument à ce que Finn prenne un comprimé d'aspirine pour atténuer son mal de tête. Ensuite il feuilleta l'annuaire pendant qu'elle allait lui chercher les papiers qu'elle avait signés dans le prétendu bureau du notaire Clarence Smith.
Elle eut l'impression que la communication de Finn avec la mairie de Los Angeles durait une éternité et elle bondit sur le canapé à côté de lui dès qu'il remercia son correspondant.

– Alors?

– C'est intéressant. Clarence Smith est bien officiellement notaire dans l'État de Californie. Vos papiers sont donc tout ce qu'il y a de plus légaux. Ils ont été dûment enregistrés et *La Ruche* est en cours de transfert à votre nom.

– Cela signifie que si ma tante est partie de son plein gré, elle ne compte pas revenir.

Les yeux de Liberty s'agrandirent.

– Finn, cela peut aussi signifier que si on l'a forcée à partir, on ne lui permettra pas de rentrer ici!

Il fronça les sourcils.

– Les kidnappeurs professionnels se fichent complètement des affaires de leurs victimes, je le sais d'expérience depuis ce qui m'est arrivé avec Mickey Mason!

– Vraiment?

– Vraiment, soupira-t-il. Je connais pas mal de choses grâce aux confidences de mon père et je flaire ici un plan exécuté avec soin par une personne qui se souciait de l'avenir de *La Ruche*.

– Ma tante.

– Tout juste, miss Marple! Je pense que cette chère Beverly est tout ce qu'il y a de plus vivante, avec son chat auprès d'elle. Et elle sait que sa précieuse librairie est en de bonnes mains.

– Pourquoi a-t-elle fait semblant de mourir, Smiley?

– Cela, je l'ignore. Et...

Le téléphone sonna et Finn décrocha aussitôt, pour tendre l'appareil à Liberty.

– Allô?

– Mademoiselle Shaw, je suis Victoria Manfield. Avez-vous mon paquet?

– Non, je regrette, répondit la libraire néophyte en consultant Finn du regard. Je n'ai pas eu le temps de le chercher.

– Dépêchez-vous. Je tiens ab-so-lu-ment à récupérer mon bien. Je vous rappelle dans une heure.

– Mais...

Elle tendit le téléphone à son voisin.

– Finn, elle a coupé. Elle veut que je retrouve son paquet d'ici une heure.

Il raccrocha et se mit debout.

– Eh bien, cherchons-le.

– Comment pourrais-je vous remercier de tout ce que vous faites pour moi? dit-elle en se levant à son tour. Sans vous, c'est moi qui aurais reçu la corbeille à papiers en pleine figure.

Il la contempla longuement avant de répondre :

– Nous avons partie liée dans cette affaire, Liberty.

– Merci.

– Maintenant au travail. Je fouille cette pièce. Chargez-vous de la chambre à coucher.

Il effleura ses lèvres d'un baiser rapide.

– Dites-vous qu'il s'agit d'une chasse au trésor.

– Hum, fit-elle en se dirigeant vers la porte.

Finn la suivit des yeux puis il ouvrit le buffet de la salle.

Liberty passa consciencieusement en revue les tiroirs de la commode. Les paroles de Finn dansaient dans sa tête : « Nous avons partie liée dans cette affaire. »

Dans cette affaire, c'est-à-dire le mystère qui entourait la disparition de sa tante. Et après ? Lui dirait-il : « Merci pour cette petite aventure, mon chou, et au revoir. » Bien sûr qu'il s'en irait, une fois l'énigme résolue ! Et elle aussi, à la fin des grandes vacances, elle repartirait pour Chicago.

Liberty explora le dernier tiroir sans succès.

En ce qui les concernait personnellement, Finn n'avait-il pas proposé de se laisser porter par le courant qui les entraînait tous les deux ? Et si ce courant nouveau, aussi puissant qu'étrange, était un prélude à l'amour ?

– Ne fais pas l'idiote ! se morigéna-t-elle en refermant vivement le tiroir.

Non, elle n'était pas plus en train de tomber amoureuse de Finn qu'il n'était en train de tomber amoureux d'elle. Bien sûr que non...

La jeune femme marcha vers la penderie qu'elle ouvrit pensivement.

Mais que pouvait-il se passer entre Finn et elle ?

Elle n'avait pas envie de le savoir.

Elle ne voulait pas devoir envisager la réponse.

Parce que tomber amoureuse de lui, cela impliquerait regagner Chicago le cœur brisé.

Avec un soupir elle procéda à son inspection puis s'agenouilla pour regarder sous le lit.

Où diable était le paquet de Victoria Manfield ?

– Oui, je sais, mademoiselle. Il est sept heures du soir. Nous avons passé tout l'après-midi à le chercher mais nous ne l'avons pas. Il n'y a aucun paquet à votre nom, que ce soit dans la librairie ou ici dans l'appartement. Je regrette...

– Vous regrettez! glapit Victoria Manfield d'une voix suraiguë. Mais il me le faut absolument, ce paquet!

– J'ignore ce que ma tante a pu en faire, répondit Liberty avec lassitude.

– Envoyez-la promener! lui conseilla Finn qui était vautré dans le fauteuil.

– Mademoiselle Manfield, dit-elle en s'efforçant d'être patiente, il est inutile que nous discutions plus longtemps. Cela ne changera rien.

– Ah! Vous ne comprenez donc rien à ma situation? Qu'a-t-il pu arriver à mon paquet? gémit son interlocutrice, au bord des larmes.

– Je n'en ai aucune idée... A moins que...

Sa tante l'avait peut-être emporté avec elle pour une raison inconnue.

– ... Non, vraiment, je ne vois pas, mademoiselle Manfield.

– Que vais-je faire, à présent? Je... je dois vous laisser. Au revoir.

– Au revoir... Finn, dit-elle en raccrochant, elle a l'air complètement affolée. Je me demande si tante Beverly ne serait pas partie avec son paquet.

– Pourquoi cela, miss Marple?

– Je ne sais pas, Sherlock... Une vague idée... Ces recherches m'ont fatiguée et je suis sale comme tout.

– Moi aussi. Quelle poussière nous avons remuée!

Il se leva à regret.

– Je rentre chez moi prendre une douche et me changer. Dites-moi, cela ne va pas vous gêner de rester ici toute seule après cette journée qui sort de l'ordinaire ?

Les baisers de Finn O'Casey sortaient de l'ordinaire, eux aussi, rêva-t-elle en le contemplant. Qu'il était beau malgré la poussière dont il était recouvert ! La jeune femme n'avait pas envie qu'il parte. Pas maintenant.

– Non, cela ira. Je n'aspire qu'à me reposer.

Il lui tendit la main.

– Courage, ma chère, et debout. Il faut que vous me suiviez en bas afin de fermer à clé derrière moi.

Elle posa la main dans sa paume tendue et en sentit instantanément la chaleur, la force et la douceur. Une chaleur, une force et une douceur auxquelles elle avait pris goût.

Finn attira son corps contre le sien et il l'embrassa.

– Je dois m'en aller, souffla-t-il, les lèvres contre les siennes. Tout de suite.

– Oui.

– Je reviendrai demain matin.

– Oui.

– Je vous désire si fort, Liberty...

– Je...

– Non, ne dites rien, c'est trop tôt...

Il ouvrit les bras et recula d'un pas.

– Venez, descendons.

Sur le seuil de *La Ruche*, il murmura, un peu contraint :

– Je ne vais plus vous embrasser, sinon je ne pourrai pas partir. A demain.
– Entendu, Finn. Bonne nuit.
– Je doute de pouvoir dormir, fit-il avec un petit rire. Au revoir.
Il attendit pour s'éloigner qu'elle ait fermé la porte à clé. La perspective de regagner la grande maison de Beverly Hills ne lui disait rien. A l'âge de vingt-deux ans, Finn y avait fait aménager un atelier de peintre. Et Tina s'était installée dans l'autre aile, où elle avait vécu jusqu'à son mariage avec Jared.
Malgré tous les bons souvenirs familiaux qui s'y rattachaient, la maison lui paraissait ce soir beaucoup trop vaste, beaucoup trop vide.

Liberty s'attarda sous la douche avant de s'essuyer. Puis elle dîna aussi sommairement que la veille dans la petite cuisine. Elle traversait la salle de séjour obscure pour gagner la chambre quand elle s'arrêta et tourna la tête vers les doubles rideaux qui masquaient la fenêtre. Depuis le départ de Finn, elle n'avait plus repensé à l'homme tapi dans l'ombre.
Était-il revenu? L'épiait-il encore?
Il fallait qu'elle sache.
Son cœur battit douloureusement lorsque d'une main tremblante elle repoussa un peu la tenture afin de glisser un coup d'œil au-dehors.
– Mon Dieu! Il est là. J'ai peur... Finn, j'ai besoin de vous... J'ai besoin de vous, Finn.

Finn, torse nu et vêtu d'un jean propre, fixait son téléviseur sans prêter attention aux images. Il zappait machinalement de temps à autre, l'esprit hanté par la belle Liberty Shaw. Jamais il ne s'était senti aussi seul. Était-il en train de tomber amoureux, lui aussi? Ses amis Tucker Boone et Nick Capoletti avaient su reconnaître l'amour dès qu'ils avaient ouvert les bras à Alicia et à Philippa. Jared, pour sa part, avait erré dans le brouillard jusqu'au moment où Tina en avait eu assez et lui avait fait comprendre qu'il l'aimait bel et bien. Chacun réagissait à sa façon devant l'amour.

– Et moi? se demanda-t-il à voix haute. Liberty, Liberty vous me rendez fou!

Il abandonna la télévision et se leva. Mieux valait se coucher. Après une bonne nuit de sommeil, les choses seraient plus claires pour lui. Non seulement il devait comprendre ce qu'il lui arrivait mais il fallait aussi qu'il trouve la solution de l'énigme posée par sa vieille amie Beverly Shaw.

Il allait éteindre le lustre de la salle de séjour quand son regard tomba sur le téléphone. Sous le coup d'une impulsion, il ouvrit le tiroir du guéridon et en sortit l'annuaire.

Tandis qu'il composait le numéro de *La Ruche*, il eut le sentiment navrant que la voix de Liberty le rendrait encore plus conscient du vide de sa grande maison... et de son lit.

– Oui, allô?

– Liberty? Finn. Je me demandais...

– Merci d'appeler! Vous allez me traiter d'oie blanche... Allez-y tout de suite. Après, je vous expliquerai.

– Que se passe-t-il donc?

– L'homme est encore là, Finn, expliqua-t-elle d'une voix qui tremblait. Il me surveille... Non, ce sont les étoiles qu'il observe. Il se promène en tout innocence... Il...

– Écoutez-moi! Éteignez tout, j'arrive. N'ouvrez la porte qu'après vous être assurée que c'est bien moi.

– Oui... mais je ne veux pas vous demander de traverser toute la ville parce que je... je m'inquiète bêtement.

– Vous ne me le demandez pas. C'est moi qui vous annonce que j'arrive.

Où sont donc les gendarmes quand on conduit à tombeau ouvert? Finn se le demanda en grillant un feu rouge de plus. Où qu'ils fussent, il espéra qu'ils y resteraient car il lui fallait rejoindre Liberty au plus vite.

Était-il en train de tomber sous son charme?

Laissant sa voiture de sport sur un parking à un pâté de maisons de *La Ruche*, il poursuivit à pied, longeant sans bruit les boutiques.

Ce fut alors qu'il vit l'homme tapi dans l'ombre.

Juste en face de la librairie, un individu massif avait la tête levée vers le premier étage. On le distinguait à peine car il était posté dans le renfoncement d'une entrée.

Finn se remémora les instructions de son père et il rebroussa chemin sur une courte distance avant de traverser la rue et d'approcher silencieusement du mystérieux guetteur.

Plus que cinq pas, quatre, trois, deux...
D'une brusque détente, il franchit la distance qui les séparait. Il passa l'avant-bras autour de la nuque de l'homme et saisit le devant de sa chemise de l'autre main.
– Que diable...? protesta une voix grave.
– Du calme! lui intima Finn. Dites-moi seulement pourquoi vous surveillez l'appartement, au-dessus de *La Ruche*.
– Mais... je n'ai pas dit que je surveillais cet appartement.
– J'ai pourtant bien l'impression que vous le faites et je veux savoir pourquoi.
L'homme était solide comme un roc et beaucoup plus lourd que Finn qui le dépassait pourtant d'une tête. Il résistait à l'emprise de son agresseur dont les muscles commençaient à souffrir sous la tension qui se prolongeait.
– Répondez, insista Finn. Je ne vous veux pas de mal.
– Qui êtes-vous?
Bon sang, recourait-on à des présentations en bonne et due forme dans des situations telles que celle-ci?
– Je suis Finn O'Casey...
– O'Casey? Auriez-vous déjà entendu parler de Chuck O'Casey.
– C'était mon père... Maintenant, dites-moi ce que vous faites devant cet appartement. Vous le surveillez, ne niez pas.
– Le fils de Chuck! Ça, par exemple!
L'homme cessa de résister à la pression des bras de Finn.

– Votre père n'avait pas son pareil! Il me manque, vous n'avez pas idée... Lâchez-moi, petit, vous froissez ma chemise.

Finn obéit et recula d'un pas en se demandant s'il avait raison d'agir ainsi.

L'homme lissa le devant de sa chemise et se massa la nuque avant de dévisager son assaillant. Il semblait âgé d'une cinquantaine d'années.

– Le fils de Chuck... Oui, vous lui ressemblez. J'ai entendu dire que vous peignez. Que faites-vous dehors?

– Je vous demande, moi, pourquoi vous surveillez l'appartement d'en face.

– En quoi cela vous concerne-t-il?

– Vous avez effrayé la jeune femme qui habite là.

– C'est votre fiancée?

– Je... Oui, c'est ma fiancée.

Et il croisa les bras sur son torse.

– Ne restez pas comme cela, petit. Je pourrais vous balancer un direct à l'estomac... Les services secrets, ce n'est pas pour vous. Cantonnez-vous à la peinture.

– Attendez une minute, je...

– Petit, reprit l'homme d'une voix soudain beaucoup plus douce, votre père m'a sauvé la vie, un jour. Je ne vous veux pas de mal. Je fais simplement mon travail.

– Quel travail?

– M'assurer que personne ne vient ennuyer cette jeune femme qui est votre fiancée... A propos, je m'appelle Crusher. J'ai appris que Jared

Loring avait épousé votre sœur. Dommage qu'il nous ait quittés, c'était un agent de premier ordre.

– Voyons... Crusher. Je suis content de bavarder avec vous mais cela ne me renseigne pas. Qui pourrait songer à ennuyer Liberty Shaw?

Crusher haussa les épaules.

– Peut-être quelqu'un, peut-être personne... Elle devrait rester en dehors du coup mais on ne sait jamais.

– En dehors de quel coup?

– Je ne peux pas vous le dire, petit.

– Et si moi, je vous disais que je ne crois pas à la mort de Beverly Shaw?

– Elle a disparu.

– Et comment! Elle a fait ses bagages et elle est partie en catimini avec son chat. J'ai commencé par croire qu'on avait pu l'enlever mais j'ai changé d'avis. Je suppose qu'elle a tout réglé avant de disparaître, en prenant ses dispositions pour que Liberty hérite de la librairie. Et puis elle a fait semblant de mourir. Pourquoi?

– Vous en savez déjà trop. Chuck serait fier de la façon dont vous avez raisonné mais vous allez au-devant de graves ennuis si vous n'abandonnez pas cette affaire. Votre fiancée n'a rien à craindre dans cette charmante petite boutique. Ne fourrez pas le nez là-dedans, et continuez à vivre comme d'habitude.

– Voyons, Crusher, expliquez-moi ce qui se passe.

– C'est impossible et vous le savez. Surtout, ne faites pas de vagues. Tout devrait se conclure très vite si aucune complication ne survient. Allez-vous-en, O'Casey, et laissez-moi.

– Bon sang, vous croyez que je vais me contenter de cela?

Crusher poussa un soupir.

– Je vous avais vu approcher, petit. Et j'ai voulu apprendre qui vous étiez avant de vous briser les côtes. C'est pourquoi je vous ai laissé faire. Croyez-moi, votre fiancée n'a rien à craindre.

Finn ne trouva rien à répliquer. Comment un vrai détective aurait-il réagi en de telles circonstances?

– Allez la rassurer, lui conseilla Crusher.

– Oui, j'y vais.

– Salut, petit... Votre père était un type sensationnel.

– Merci, Crusher. Bonne nuit.

– Salut.

Finn traversa la rue en courant et il tambourina contre la porte de *La Ruche*.

Liberty sursauta en entendant les coups répétés qu'on frappait en bas à la porte de la librairie. Était-ce Finn?

Ses yeux s'étaient accoutumés à l'obscurité pendant qu'elle l'attendait, assise sur le canapé, sans bouger.

Elle se leva lentement, traversa la pièce et ouvrit la porte palière. Le bruit s'amplifia. Elle descendit les marches le cœur battant en se demandant si le battant allait résister aux coups.

– Qui est là?

– Finn. Ouvrez.

– Comment puis-je être sûre que c'est bien vous?

– Parce que je vous le dis, Liberty! Je suis Finn O'Casey. Ouvrez la porte.

– Dites-moi quelque chose qui me donnera la certitude que c'est vous.

– Bon... Écoutez : « Je suis le maître de mon destin; je suis le capitaine de mon âme. » Cela vous va-t-il?

– C'est une citation de William Ernest Henley. Finn, je vous reconnais!

L'instant d'après, la porte s'ouvrait toute grande et Liberty sautait au cou de l'arrivant.

Il rit.

– Je suis content de vous voir, moi aussi, mais je pense que nous devrions rentrer et fermer la porte.

– Oui, naturellement. Merci d'être venu. Cet homme qui me surveille encore... je n'aurais pas pu le supporter longtemps... Je...

– Chut. Calmez-vous. La porte est bien fermée... Montons et je vous expliquerai ce que j'ai appris.

Dans la salle de séjour, Finn contempla Liberty. Elle portait un grand T-shirt orné de la tête de Shakespeare.

– Ce cher vieux Shakespeare, dit-il, le théâtre que je préfère entre tous!

– Je ne suis même pas habillée...

– Ne vous en faites pas. Vous en auriez encore

moins sur vous si nous étions sur une plage. Asseyons-nous.

Il s'installa près d'elle sur le canapé et il lui pressa la main.

– Très bien. Voilà ce qui s'est passé dehors...

Liberty portait-elle quelque chose sous son grand T-shirt?

– ... j'ai vu ce type, de l'autre côté de la rue, poursuivit-il en tâchant de se concentrer sur son récit.

Liberty garda les yeux rivés au visage de Finn tandis qu'il lui relatait sa conversation avec Crusher. La seule chose qu'il omit, ce fut qu'il avait les côtes intactes parce que l'agent avait préféré commencer par l'interroger.

– ... Et j'ai traversé jusqu'à la librairie, acheva-t-il, ému par les seins ronds, bien visibles sous le coton léger.

– Vous avez pris un risque énorme en attaquant Crusher comme vous l'avez fait!

– Euh... pas vraiment. C'est un chic type, Liberty, et je suis content qu'il fasse le guet au-dehors parce que nous n'en savons pas plus long qu'avant... si ce n'est que les services secrets sont impliqués dans cette affaire. Votre tante est vivante, j'en ai la certitude. Pour le reste... Crusher n'a rien voulu me révéler.

– Ils veulent apparemment que nous menions une vie normale comme si de rien n'était?

– Oui.

– Allons-nous leur obéir, Finn?

– Non.

– Parfait. Qu'allons-nous faire, Sherlock Holmes?

– Vous voilà redevenue bien intrépide, tout à coup, Poirot.

– Qu'allons-nous faire? insista-t-elle en souriant.

– Cette nuit, nous allons dormir.

– Élémentaire, mon cher Watson. Et demain?

– Demain, je passerai un coup de fil à Jared Loring.

5

FINN se retourna pour la énième fois sur le canapé trop mou afin de trouver une position confortable. Impossible. Cette couche n'était pas faite pour accueillir un corps humain.

C'était sa faute s'il était condamné à dormir sur cet instrument de torture. Même avec Crusher qui montait la garde de l'autre côté de la rue, il n'avait pas voulu laisser Liberty seule pour le reste de la nuit.

Peu désireux de passer pour un imbécile ou de voir diminuer la confiance que la jeune femme avait en Crusher, il avait prétexté un mal de tête. Liberty avait été aux petits soins pour lui et il avait largement profité de la situation. Elle avait tenu à ce qu'il s'étende immédiatement. Pas question qu'il retourne à Beverly Hills en voiture!

Finn avait alors failli mourir de désir. Affalé dans le fauteuil, il avait observé la tête de Shakespeare qui se modifiait et se déformait en se déplaçant sur les deux seins bien ronds pendant que la jeune femme préparait le canapé pour qu'il y dorme.

A présent elle se trouvait dans la chambre voisine, à quelques mètres seulement, et il brûlait toujours de désir pour elle. Il avait réussi à lui donner un petit baiser rapide pour lui souhaiter une bonne nuit, en priant qu'elle ne se rende pas compte qu'il serrait les poings de peur de presser son corps contre le sien s'il ouvrait les mains.

Il avait soupiré de soulagement lorsqu'elle s'était éloignée, pour pester intérieurement la minute d'après parce qu'elle avait laissé sa porte grande ouverte. Maintenant il maudissait son infâme canapé et se sentait d'autant plus mal que la migraine qu'il avait feinte une heure plus tôt était devenue une douloureuse réalité.

Il se redressa et résolut d'aller prendre un comprimé d'aspirine dans le placard de la cuisine. Trébuchant dans l'obscurité, il traversa la salle à pas prudents en contournant les cartons de livres. Il tira la porte sur lui et il alluma avec l'espoir qu'aucun rai de lumière ne sortirait Liberty de son sommeil. Un grand verre d'eau le rafraîchit légèrement. Peut-être, bien qu'il ait de sérieux doutes, serait-il capable de dormir?

Il se détourna de l'évier et se figea sur place.

Liberty se tenait sur le seuil de la cuisine, dans son grand T-shirt orné de la tête de Shakespeare, qui découvrait largement ses jambes fuselées. Les cheveux dans un désordre sensuel, les yeux immenses, elle était irrésistible.

Le cœur de Finn battit follement et il déglutit cherchant désespérément quelque chose de spirituel à déclarer, quelque chose à faire pâlir de jalousie James Bond lui-même. Mais il avait le cerveau vide et il se contenta de dévorer la jeune femme des yeux.

Qu'il est beau, avait-elle pensé en admirant son corps largement exposé dans un caleçon bleu aux impressions Cachemire.

Et puis il s'était tourné vers elle, leurs regards s'étaient croisés et elle était restée clouée sur place, incapable de bouger... ni même de respirer. Liberty savait que ses joues avaient rougi et elle en connaissait la raison : le vif désir qui s'était allumé dans son corps.

Finn avait éveillé en elle tout ce qui était féminin. Ses seins étaient devenus si lourds et si sensibles que le coton léger du T-shirt leur pesait. Son cœur battait la chamade et sa peau brûlait.

Elle avait envie de s'unir à Finn O'Casey et c'était bien ainsi. Les regrets ne pourraient naître que si elle refusait ce qui était son destin depuis qu'elle l'avait vu debout sur le seuil de *La Ruche*, tout baigné de soleil.

Oui, elle désirait dormir avec Finn parce qu'elle tombait amoureuse de lui. L'idée d'aimer n'avait rien d'effrayant, constata-t-elle. Pour l'heure, elle était à l'abri dans le cocon de la nuit, où les vérités trop flagrantes et la trop vive lumière du lendemain ne pouvaient pénétrer.

Il n'y avait que l'instant présent qui comptait.

Et Finn.

– Finn, souffla-t-elle, avant de lui sourire tendrement.

Son murmure parut flotter jusqu'à lui pour le

caresser et décupler le désir qu'il avait d'elle. La pièce s'abolit et il ne vit plus que Liberty qui se tenait devant lui. Une pensée naquit et s'affirma dans son esprit en proie à la confusion.

Il aimait Liberty Shaw.

– Liberty, dit-il, d'une voix rauque, approchez.

Il lui ouvrit les bras et elle vint à lui.

Avec un léger soupir de plaisir et un grand sentiment de plénitude, Liberty se blottit dans les bras de Finn et elle glissa les bras autour de sa taille. Elle rejeta la tête en arrière pour affronter ses yeux brillants d'une passion égale à la sienne.

– Si je vous embrasse, dit-il, je ne vais plus pouvoir m'arrêter.

– Oui, Finn, c'est bien ainsi.

– Vous n'aurez pas de regrets, par la suite? Je ne pourrais pas supporter que vous soyez désolée, plus tard. Je sais que nous ne nous connaissons pas depuis longtemps mais... pourtant si, cela fait une éternité. C'est...

Il secoua la tête.

– Je n'arrive pas à m'exprimer...

Il l'aimait. Oui, il aimait pour la première fois de sa vie. Mais on ne se déclare pas sur-le-champ. Cela aurait l'air bizarre, dans les circonstances présentes. Liberty risquait de croire qu'il disait cela à seule fin de l'attirer au lit avec lui.

– Il faut que je sois sûr que vous êtes bien décidée.

– Je suis bien décidée, Finn...

Certes, Liberty aimait Finn O'Casey mais comment lui annoncer la nouvelle tout de go? Elle ne pouvait pas courir le risque de briser la fabuleuse magie de la nuit avec des paroles qu'il n'avait pas envie d'entendre. Cette nuit leur appartenait.

– ... J'ai envie de vous, Finn.

Il poussa un gémissement sourd et sa bouche s'abattit sur la sienne pour retrouver l'exquise douceur dont il ne pouvait plus se passer.

– Liberty, souffla-t-il en se redressant, allons dans la chambre avant qu'il ne soit trop tard... Je vous désire comme je n'ai jamais désiré personne. Venez.

– Oui.

Il éteignit la lumière et ils traversèrent la salle de séjour encombrée à la seule lueur rosée de la lampe de chevet qui était dans la chambre.

Debout près du lit, Finn prit le visage de Liberty dans la coupe de ses paumes et il la sonda du regard. Leurs cœurs bondirent et leur passion s'emballa tandis qu'ils se contemplaient avec amour. Mais ni l'un ni l'autre ne s'exprima à voix haute; ils attendaient un moment plus propice afin de livrer le message de leurs cœurs et de leurs âmes.

Finn inclina la tête et le bout de sa langue courut légèrement sur les lèvres de Liberty, comme s'il savourait le nectar d'une fleur délicate.

Elle frémit tout entière sous sa caresse.

– Finn...

Il fit glisser le T-shirt par-dessus sa tête. Les mains tremblantes, il prit ses seins au creux de ses paumes et ses pouces en caressèrent les pointes dressées.

– Vous êtes belle, Liberty, et si douce... fit-il d'une voix rauque.

L'instant d'après, ils étaient nus l'un devant l'autre, sans peur, dans la magie de l'attente.

– Vous êtes beau, souffla Liberty en écho.

Il la souleva dans ses bras pour la déposer sur les draps frais, puis il s'étendit près d'elle et il l'embrassa intensément.

Liberty passa la main dans le dos de Finn, palpant la peau moite et chaude et les muscles harmonieux. Elle glissa l'autre dans ses cheveux drus afin de presser plus fort cette bouche virile sur son sein. Tandis que sa grande paume caressait la courbe de sa hanche et descendait vers le cœur de sa féminité, le corps de la jeune femme palpita d'une joie sensuelle et son sang courut dans ses veines, tel un feu liquide.

Des mains d'artiste, pensait-elle rêveuse. Fortes et douces, elles créaient de la beauté sur une toile et la faisaient se sentir belle par leur simple contact. Dieu qu'elle l'aimait! Elle le désirait. Tout de suite.

– Finn..., supplia-t-elle.

Il abandonna le sein, sa bouche revint à celle de Liberty et sa langue caressa la sienne sur le rythme même qu'avaient adopté ses doigts qui la torturaient délicieusement.

– Oui, tu es prête, murmura-t-il contre ses lèvres. Tu me désires aussi fort que je te désire.

– Oui, Finn. Viens.

Un gémissement de bonheur lui échappa quand elle l'accueillit, scellant à jamais le serment d'amour dans son cœur. Ils ne faisaient qu'un. C'était la fusion des corps, des sens et des âmes.

Finn se mit à bouger, d'abord lentement puis plus vite. Liberty s'accorda à sa cadence en soulevant les hanches alors que leur tempo les emportait hors du réel.

– Finn, dit-elle en s'agrippant à ses épaules.

– Oui, oui, Liberty.

Le corps de la jeune femme flotta sur des vagues d'extase jusqu'à un lieu de plaisir fulgurant. Sitôt après, Finn rejeta la tête en arrière et prononça son nom, tout en frémissant, et il retomba contre elle, la peau luisant à la lueur rosée de la lampe.

Jamais il n'avait vécu expérience aussi belle, aussi complète, aussi profonde. Jamais non plus il n'avait aimé. Outre la vie qui était passée de lui en Liberty, il lui avait donné son âme et son amour, pour toujours.

– Liberty, tu te sens bien? demanda-t-il lorsqu'il se redressa sur un bras.

Elle ouvrit les yeux et croisa son regard.

– Oui. C'était si bon, si...

Sa voix mourut.

– Oui...

Il effleura ses lèvres de sa bouche puis il ramena le drap sur leurs deux corps.

Elle bâilla et il rit.

– Dors, dit-il.

Et il se retourna pour éteindre.

– Dors, mon amour, murmura-t-il.

Mon amour, se répéta-t-elle intérieurement. Si

seulement c'était vrai! Si seulement Finn pouvait l'aimer comme elle l'aimait! Elle se rappela sa ferme résolution de ne pas être la proie des projets de mariage de sa sœur. Sa peinture primait tout. Pour l'instant, il s'accordait un répit, il prenait quelques vacances.

Elle aussi, à vrai dire. Sa vie était toute tracée à Chicago. Pourtant, l'homme qu'elle aimait vivait ici, à Los Angeles. Un homme qui désirait avoir une femme et une famille... plus tard. Un plus tard qui risquait de ne jamais se concrétiser parce que la peinture l'absorbait trop.

Liberty soupira avant de céder à la fatigue, en savourant l'intense satisfaction de reposer entre les bras de Finn.

L'homme respira l'enivrant parfum des cheveux auburn puis il chercha discrètement une position plus confortable en gardant Liberty contre lui. A sa respiration régulière, il comprit qu'elle s'était endormie.

Les yeux grands ouverts dans l'obscurité, il s'exhorta à la patience. Malgré la folle envie qu'il en avait, il ne pouvait éveiller la jeune femme pour lui dire qu'il l'aimait. Entre le mystère entourant la disparition de sa tante et l'irruption qu'il venait de faire dans la vie de la jeune femme, tout s'était passé trop vite pour elle. Et l'emprise de Chicago était encore trop forte.

Il fallait d'abord éclaircir le mystère relatif au sort de Beverly Shaw. Et les liens de Jared avec les hommes de la nuit, avec l'univers qui avait été celui de Chuck O'Casey lui seraient précieux pour démêler cette affaire. D'ici là, il ne quitterait pas Liberty. Il serait à l'affût de ses réactions envers lui. Pas une seule minute, il ne lui permettrait d'oublier combien leurs relations étaient exceptionnelles. Dieu qu'il l'aimait!

Mais si elle n'éprouvait pas d'amour pour lui? Finn fit un effort pour se détendre et oublier son inquiétude. Et tandis que le sommeil le gagnait, il se rendit compte que, pour la première fois de sa vie, il s'endormait en tenant dans ses bras la femme qu'il aimait.

– Jared? C'est Finn.

– Que deviens-tu, l'artiste? Toujours comblé par le vernissage et les critiques? Encore bravo.

– Je n'appelle pas pour cela... En fait, je te parle d'homme à homme... Non, je ne peux pas te demander de cacher quoi que ce soit à Tina. Je sais que vous n'avez pas de secrets l'un pour l'autre.

– Cela m'a l'air sérieux, dis donc!

– Jared, je suis amoureux.

– C'est Tina qui serait contente de t'entendre! Tu vas enfin te ranger, à l'exemple de Tucker, de Nick et de moi-même? Pourquoi ne veux-tu pas que ta sœur le sache?

– Parce que c'est affreusement compliqué. Connais-tu un dénommé Crusher?

– Un type bien, sur lequel le temps n'a pas prise... Comment diable connais-tu cet homme?

– C'est le garde du corps de Liberty Shaw, celle que j'aime. Je téléphone de son appartement pendant qu'elle est en bas, à la librairie.

– Répète-moi cela lentement. Et raconte-moi tout depuis le commencement.

– Pour me détendre entre deux toiles, j'avais coutume de rendre visite à mon amie la libraire Beverly Shaw...

Et il relata l'affaire sans que Jared l'interrompe.

– Tu sais tout, conclut-il enfin.

– Je vois.

– Tu as de la chance parce que pour moi le mystère reste entier. J'ai la conviction que Beverly est en vie. Et le fait que des agents soient impliqués dans cette histoire prouve qu'il ne s'agit pas simplement d'une femme excentrique qui part sur un coup de tête. La situation doit être vraiment sérieuse.

– Finn, Crusher a raison. Reste en dehors de cette affaire. Tu n'as pas l'expérience suffisante malgré tout ce que Chuck t'a inculqué. Pourquoi ne profites-tu pas de ta nouvelle condition d'amoureux pour te concentrer sur cette Liberty Shaw?

– Non.

Jared soupira.

– Je sais combien les O'Casey peuvent être entêtés! Bon, je vais voir ce que je peux glaner comme informations et je te rappellerai. Où puis-je te joindre?

– Je te donne le numéro de *La Ruche*. C'est le même pour l'appartement.

Jared le nota.

– Merci. Ma petite enquête peut prendre du

temps. Ne t'impatiente pas. Et surtout ne te mêle plus de rien. Tu as eu de la chance que Crusher ait choisi de t'interroger avant de te régler ton compte.

– Oui, oui, grommela Finn.

– Tu as mieux à faire. Je suis heureux que tu trouves enfin l'amour. Moi, je ne pourrais plus vivre sans Tina.

Il soupira.

– Elle vient de partir pour La Nouvelle-Orléans afin d'assister à une vente aux enchères d'antiquités pour le compte d'un client. Profite de la chance que tu as d'avoir la femme de ta vie à côté de toi.

– Je ne suis sûr de rien... Je l'aime mais elle n'a pas dit... Ce qu'il y a...

– En clair, Liberty ne s'est pas déclarée. Crois-en mon expérience, accorde-lui tout le temps qu'il lui faudra... Elle sort de l'ordinaire, n'est-ce pas?

– Oui.

Jared éclata de rire.

– Ah, cela me va bien de te donner des conseils en amour! Ta sœur me réserve encore des surprises, tu sais. Elle me manque terriblement. Et si je n'étais pas cloué ici par le travail...

Il marqua une pause.

– Je me renseigne pour toi et je te rappelle.

– Merci, Jared. Pour tout, y compris tes conseils de sagesse.

– A ton service, O'Casey!

Jared raccrocha puis composa un numéro.

– Ici, madame Tortue, répondit une voix féminine.

– Salut, ô soleil de mes jours.

– Jared Loring, pourquoi me dérangez-vous? Je suis très occupée.

– Vous êtes une femme sans cœur. Envoyez Trig et Spider dans mon bureau.

– Pourquoi donc?

– Parce que je vous le demande.

– L'affaire est sérieuse s'il vous les faut tous les deux en même temps... Voyons, expliquez-moi.

– Tortue, vous êtes pénible! Envoyez-les-moi.

– Quel caractère! Je vous garantis que Tina saura combien vous êtes désagréable quand elle vous abandonne.

– Tortue!

– Ça va, je vous envoie Trig et Spider.

– Merci, fit Jared en raccrochant.

6

ÉPERDUE d'admiration, Liberty marcha vers la toile suivante.

Elle venait de contempler deux tableaux représentant une tempête sur le littoral et elle découvrit avec ravissement le buste d'une fillette souriante qui tenait un bouquet de pâquerettes à la main pour l'offrir à une personne qu'elle paraissait beaucoup aimer. L'enfant était éclairée par le soleil qui donnait de l'éclat à son teint et à ses cheveux blonds, et elle paraissait si vivante que Liberty n'aurait pas été étonnée qu'elle parle ou qu'elle lui tende ses fleurs.

– Finn! murmura-t-elle en écrasant une larme sur sa joue.

Son talent était prodigieux et pour se maintenir à ce niveau d'excellence il fallait qu'il ne se consacre qu'à sa peinture.

Il n'y avait pas de place dans sa vie pour l'amour.

Il n'y avait pas de place pour elle.

Liberty aimait Finn O'Casey mais cet homme avait déjà une maîtresse : sa peinture.

La vérité était glaçante et, d'instinct, la jeune femme marcha vers la baie vitrée qui allait du sol au plafond. Un splendide coucher de soleil colorait le ciel d'été d'une somptueuse palette, comme si Finn avait levé son pinceau magistral pour créer uniquement pour elle un spectacle d'une incroyable beauté.

Hélas, le coucher de soleil ne durerait pas. Il s'évanouirait bientôt, laissant la maison environnée de ténèbres. Et la jeune femme ne se trouvait que temporairement au côté de Finn. Ce qu'ils vivaient ensemble était fabuleux, aussi fabuleux que les bouleversements du paysage, mais lorsqu'ils se sépareraient, il n'y aurait plus pour elle que solitude et obscurité.

– Liberty?

Elle ferma les yeux, le temps de se reprendre et elle se força à sourire avant de se retourner vers lui.

Qu'il était beau! Dans la perspective de leur dîner en ville, il avait revêtu un pantalon noir et une chemise blanche à rayures grises, ce qui lui donnait l'air d'un mannequin de mode.

– Ces tableaux sont magnifiques, dit-elle, confuse du léger tremblement de sa voix. Pourquoi ne les as-tu pas exposés?

Il la fixa intensément.

– J'en ai fait d'autres dans ce genre-là que j'ai trouvés meilleurs.

Et il avança vers elle, sans cesser d'étudier son visage.

– Qu'as-tu, Liberty?

– Rien... Je suis simplement très émue. Tu as un talent fou... Tu as tant à donner aux gens...

Il s'arrêta devant elle et prit son visage dans ses paumes.

– L'artiste que je suis est aussi un homme... Tu sais, je n'ai jamais embrassé de femme, ici. Je ne sais pas pourquoi... C'est l'endroit où je peins, où je me consacre à mon travail. Mais tu es à ta place dans mon atelier..., oui.

Il s'inclina et elle lui offrit ses lèvres. Tandis que leur baiser se prolongeait, elle leva les mains vers ses larges épaules et une vague de désir la submergea.

Liberty, Liberty! se disait Finn avec passion. Son amour pour elle était incommensurable. L'artiste et l'homme l'aimeraient toujours.

Il releva la tête en arrière.

– Je...

Il s'éclaircit la gorge, au bord de l'aveu.

Mais Liberty était-elle prête à l'entendre?

– Il faut que j'arrête de t'embrasser sinon nous ne dînerons pas, dit-il d'une voix rauque.

Elle ouvrit lentement les yeux.

– Le dîner... Oui, bien sûr...

Une tension subtile planait dans la voiture de sport de Finn qu'il dirigeait vers le restaurant d'une main experte. Ni Liberty ni lui ne parlait, chacun d'eux étant perdu dans ses pensées. Mais la musique de l'autoradio les enveloppait d'une douceur langoureuse et la tension se dissipa peu à peu.

Finn s'arrêta à un feu rouge et tourna la tête pour regarder Liberty. Leurs yeux se happèrent et ils échangèrent un tendre sourire complice.

– Quelle belle soirée! s'écria-t-elle du fond du cœur.

– Oui, fit-il sans la quitter des yeux.

– Finn, le feu est au vert.

Elle rit et il mêla son rire au sien. La soirée était à la bonne humeur. On repoussait les doutes, les inquiétudes et les nombreuses questions demeurées sans réponses. La vie prenait un tour de perfection magique.

– Comment trouves-tu ton homard, Liberty?

– Succulent. Et ta côte de bœuf?

– Parfaite. Juste comme je l'aime... T'ai-je dit combien tu es belle dans ta robe blanche?

– Oui mais répète-le-moi encore. Je commence à me prendre pour Cendrillon, comme si cette nuit m'appartenait, à moi et à mon prince charmant.

– Où peut-il être? s'amusa Finn en embrassant la salle du regard.

Le rire si particulier de la jeune femme l'emplit de bonheur.

– C'est toi, Finn, dit-elle avec un sourire radieux.

– Ma Cendrillon, ne disparaîtra pas à minuit.

Il s'empara de sa main.

– Compris?

– Compris.

Non, elle ne disparaîtrait pas si vite que cela. Rien ne devait gâcher leur nuit féerique.

– Aimerais-tu danser dans le parc du restaurant quand nous aurons fini de dîner? J'entends l'orchestre.

– Avec joie!

Ils dansèrent donc dans les bras l'un de l'autre, absorbés par leur propre musique intérieure, oublieux de tout ce qui les entourait. Et quand l'aube vint à poindre, ils se consultèrent du regard et comprirent qu'il était temps qu'ils partent. Par un accord tacite, Finn ne ramena pas Liberty à l'appartement au-dessus de la librairie. Il sentait sous la myriade d'étoiles scintillantes que la vraie magie de la nuit était encore à venir pour elle et lui.

Dans le grand lit de Finn, ils s'aimèrent avec une sensuelle lenteur qui porta leur passion à son comble. Ni l'un ni l'autre ne voulait que la nuit parfaite, magique, arrive à son terme. Ils la retinrent à leur façon, en sommeillant de temps en temps pour s'éveiller et reprendre leur voyage dans l'extase.

Ni l'un ni l'autre n'était pressé d'affronter ce qui les attendrait dans la réalité, à la lumière du lendemain.

La nuit était à eux.

Jared Loring s'éloigna des tables de jeu où régnait une bruyante animation et il gagna un bureau tranquille, de dimensions modestes.

Quelques minutes plus tard, Trig entra, suivi de peu par Spider.

– Eh bien? s'enquit Jared.

Il était adossé à son siège et ses cheveux prématurément argentés brillaient dans la lumière.

– Rien, patron, dit Trig. Mes informateurs ne sont au courant de rien ou, s'ils savent quelque chose, ils restent bouche cousue.

– Pareil de mon côté, fit Spider.

Jared leva la main, l'agitant en signe d'énervement.

– Je n'aime pas cela. Finn O'Casey est impliqué dans une affaire qui doit être plus grave que je ne l'imaginais au début.

– C'est sûr, dit Spider avec un hochement de tête. J'ai entendu citer le nom de Crusher mais sans obtenir le moindre renseignement sur lui.

– Crusher est dans le coup, annonça Jared. C'est le garde du corps de la fiancée de Finn.

– Finn amoureux? s'étonna Trig. Tina doit être aux anges! Mais dans ces conditions, je ne vois pas le fils de Chuck O'Casey rester longtemps les bras croisés dans une affaire à laquelle sa fiancée est mêlée...

Le téléphone sonna et Jared décrocha aussitôt.

– Loring.

– Jared... fit la voix émue de Tortue.

– Que se passe-t-il?

– C'est Crusher. Il a été attaqué par des inconnus. On l'a transporté dans un hôpital de Los Angeles. Lui et moi, nous étions... très liés, dans le temps. C'est un type si bien, et si fort! Il a dû falloir une armée pour venir à bout de sa résistance. Si je tenais les salauds qui ont fait le coup...

– Calmez-vous, Tortue, coupa Jared. Avez-vous appris quelque chose?

– Non. Rien.

– Bon. Appelez l'aéroport pour que le pilote prépare mon avion. Je pars pour Los Angeles.

– Emmenez-moi avec vous, s'il vous plaît. Il faut que je voie Crusher. Il est... il compte beaucoup pour moi.

– Entendu, je vous emmène, Tortue.

– Merci, Jared... Allez-vous dire à Tina que son frère est à nouveau dans le pétrin?

– Avec tous les ménagements qui s'imposent. Sinon, elle quittera La Nouvelle-Orléans par le premier avion. Appelez Nick pour le mettre au courant de mon départ; qu'il me remplace au casino... Soyez prête à partir dans une heure.

Il raccrocha.

– Crusher s'est fait attaquer, annonça-t-il à Trig et à Spider. Quelqu'un voulait avoir la voie libre jusqu'à Liberty Shaw.

– Ce quelqu'un n'a plus que Finn O'Casey sur sa route, à présent, dit Trig. Que veut-il de cette femme?

Jared se leva.

– C'est ce que je vais tâcher de découvrir là-bas... Je ne sais que dire à Tina.

– Mentez! lui conseilla vivement Trig.

Spider le retint par le bras en le foudroyant du regard.

– On ne ment pas à la femme qu'on aime, mon vieux!

– Vas-tu me lâcher? se rebiffa Trig.

– Du calme, leur intima Jared. Allez dormir. Vous reprendrez vos recherches ensuite. Je vous téléphonerai. Tortue m'accompagne. Elle veut revoir Crusher.

– Tortue et Crusher! s'exclama Trig. Décidément, la maladie d'amour se répand comme une épidémie!

– Tu n'as vraiment aucun tact, lui dit Spider d'un ton hautain.

– Je m'en vais, répondit-il en gagnant la porte. Bonne chance, patron.

Après le départ des deux hommes, Jared hésita un bon moment avant de décrocher le téléphone.

Ce fut une Tina tirée des brumes du sommeil qui lui répondit.

– C'est Jared...

Il la voyait si nettement en esprit avec ses longs cheveux blonds en broussaille et sa position visible sous une nuisette de soie que sa main se crispa sur l'appareil.

– ... Tina, je... Il faut que je te parle.

– Au milieu de la nuit? Que se passe-t-il?

– Je vais te le dire. Mais auparavant promets-moi que tu resteras à La Nouvelle-Orléans, que tu n'écourteras pas ton séjour là-bas.

– Je ne peux rien te promettre tant que tu ne m'auras rien dit.

– Alors tu ne sauras rien. Je veux ta promesse.

– Ce n'est pas juste, Jared Loring!

– Les jeux sont ainsi faits, Tina Loring!

– Bon. Je resterai ici pour finir mon travail, je te le promets. Dis-moi ce qui se passe.

– Entendu. Voilà, je prends l'avion pour Los Angeles dans moins d'une heure.

Et il raconta brièvement à Tina ce qui était arrivé à son frère.

– Jared, répondit-elle, Finn est amoureux pour la première fois de sa vie. Il fera tout pour protéger Liberty Shaw, j'en suis sûre. Et elle a grand besoin qu'on la protège. Elle n'est qu'un rouage innocent dans cette affaire. Merci d'aller les soutenir mais sois prudent, mon chéri. C'est la promesse que je te demande.

– Je le serai. Et je t'appellerai dès que je saurai quelque chose. Je t'aime, Tina.

– Je t'aime, Jared. Donne-moi vite de tes nouvelles.

– Oui... Rendors-toi et rêve de moi. Tu me manques affreusement. Au revoir.

Tandis que Jared raccrochait, la porte de son bureau s'ouvrit sur un bel homme brun en smoking.

– Me voici physiquement. Mentalement, je dors encore.

– Je regrette, Nick, mais il faut que je parte pour Los Angeles.

– Je comprends, Tortue m'a mis au courant. Tina sait-elle?

– Je lui en ai parlé à l'instant. Elle a promis de rester à La Nouvelle-Orléans comme prévu.

– C'est stupéfiant!

– Je ne me berce pas trop d'illusions. Elle ne tardera pas à trouver une bonne raison de manquer à sa parole afin de voler au secours de son frère. Je dois sortir Liberty Shaw et Finn du pétrin avant qu'elle ne s'impatiente trop.

– C'est un programme qui me semble bien chargé pour un ex-agent!

Jared eut un petit rire.

– N'est-ce pas? Il a suffi que je rencontre Tina et Finn O'Casey pour reprendre du service...

Son visage s'assombrit.

– Ce qui m'inquiète aujourd'hui, c'est que tout est beaucoup trop calme. Aucun de nos informateurs n'est au courant de rien.

– Et alors?

– Alors il doit s'agir d'une opération de grande envergure.

Les odeurs combinées de café, de savon et de Finn éveillèrent les sens de Liberty et la tirèrent du sommeil. Elle ouvrit les yeux pour découvrir le regard chaleureux de l'homme.

– Bonjour, dit-il en s'asseyant sur le lit. Je t'apporte du café.

Elle se redressa sur l'oreiller en ramenant le drap sur ses seins nus et elle tendit la main vers la tasse fumante.

– Je n'avais pas envie de te réveiller, dit-il, mais j'ai pensé que tu voudrais ouvrir *La Ruche* à l'heure prévue.

– Oui... Je vais me dépêcher de prendre une douche.

– Liberty, nous avons eu une nuit exceptionnelle.

– Je sais, fit-elle dans un sourire. J'aurais voulu

qu'elle dure éternellement. Une vraie nuit de Cendrillon...

– Ce n'était pas un conte de fées; ce que nous avons partagé était bien réel.

Réel mais provisoire, pensa-t-elle en buvant une gorgée de café pour que Finn ne voie pas qu'elle ne souriait plus.

La sonnerie du téléphone sur la table de nuit la fit sursauter. Finn décrocha immédiatement.

– Allô?

– Finn? Jared. Je t'appelle de Los Angeles.

Finn jeta un coup d'œil à Liberty qui le fixait, intriguée.

– Tu es venu? Pourquoi?

– Je t'expliquerai quand nous nous verrons. Quels sont tes projets pour la matinée?

– J'accompagne Liberty à *La Ruche* pour qu'elle ouvre la boutique.

– Elle a passé la nuit chez toi? Elle n'était pas dans l'appartement au-dessus de la librairie?

– Elle.... Oui, elle a passé la nuit chez moi.

– Qui est-ce? murmura la jeune femme, effarouchée. A qui dis-tu cela?

A l'autre bout du fil, Jared éclata de rire.

– J'ai entendu. Dis à Liberty que je suis un grand garçon... Finn, ajouta-t-il en retrouvant son sérieux, rendez-vous devant *La Ruche*. J'ai loué une voiture et je possède un bon plan de la ville. N'entre pas dans la boutique avant mon arrivée.

– Pourquoi? Que se passe-t-il?

– Je t'expliquerai. A tout à l'heure.

Et Jared raccrocha.

– Il n'est certainement pas venu de Las Vegas pour te rendre une visite de courtoisie, fit remarquer Liberty.

Finn haussa les épaules.

– Tina est à La Nouvelle-Orléans pour son travail. Jared a pu se sentir seul et vouloir se changer les idées.

– Tu insultes mon intelligence.

– J'insulte la mienne aussi, soupira-t-il. Il a un casino à diriger. S'il est venu, c'est que la situation est grave... Rappelle-toi, il a travaillé pour les services secrets. Il nous donne rendez-vous devant la librairie avec la consigne de ne pas y entrer sans lui.

– Tu m'inquiètes...

– Ce peut n'être qu'une simple mesure de précaution de routine.

Il se pencha sur elle et lui donna un baiser affolant.

– Prépare-toi vite, Liberty. Je t'attends dans le jardin.

La circulation était difficile et Liberty préféra garder le silence pendant que Finn s'en tirait au mieux pour traverser la ville. Une boule d'anxiété s'était formée dans son estomac lorsqu'ils approchèrent enfin de la librairie. Finn trouva miraculeusement une place libre à deux pas de *La Ruche*.

– Jared est là, dit-il en ouvrant sa portière.

Liberty sortit de la voiture et aperçut un grand homme bien bâti qui venait à leur rencontre. Il portait un pantalon noir, une chemise rouge foncé et un blouson noir en coton léger. Elle admira sa chevelure argentée et fut frappée par l'autorité et la puissance qui se dégageaient de sa personne. Mieux valait avoir un tel individu dans son camp que dans celui d'en face.

– Salut, Jared... Liberty, voici mon beau-frère.

– Enchanté de faire votre connaissance, Liberty, dit Jared en lui serrant la main.

– Il fait chaud pour porter un blouson, remarqua Finn. Dissimulerais-tu une arme, Jared?

– Une arme? se récria Liberty.

Jared secoua la tête.

– Ménage un peu Liberty. Elle n'a pas été élevée par Chuck O'Casey, elle. Oui, je suis armé. On a attaqué Crusher la nuit dernière. Il est à l'hôpital.

– Est-ce grave? s'inquiéta la jeune femme.

– Oui, mais il se remettra. Tortue est venue avec moi pour le retrouver.

– On a voulu se débarrasser de Crusher! répéta Finn. Pourquoi? Pour s'en prendre à Liberty?

– A moi? fit-elle, alarmée. A moi?

– Je ne puis rien dire pour l'instant, répondit Jared. Je suis content que Liberty n'ait pas passé la nuit ici. Donnez-moi les clés et jetons un coup d'œil sur les lieux.

Liberty sortit d'une main tremblante le trousseau de son sac pour le tendre à Jared et elle frémit à la vue du revolver qu'il avait maintenant à la main.

– Tiens bon, Smiley, lui dit Finn en l'embrassant sur la tempe.

– Entendu, mon espoir qui vient du chaud, répondit-elle d'une voix mal assurée. Ne t'en fais pas pour moi.

– Restez derrière, leur intima Jared avant d'introduire la clé dans la serrure.

Il ouvrit lentement la porte, l'arme au poing.

– Bon sang! grommela-t-il en découvrant le spectacle.

Liberty blêmit et elle eut vaguement conscience que Finn lui passait le bras autour des épaules et l'attirait contre lui.

– Non, non, gémit-elle.

Tout avait été retourné dans la boutique. A peine restait-il une demi-douzaine de livres sur les rayons.

– Un travail de professionnels, commenta Jared en refermant la porte derrière eux. Je monte voir en haut. Attendez ici.

– L'escalier est dans le fond, expliqua Finn. Jared, pourquoi a-t-on...?

– Je reviens tout de suite, coupa-t-il. Liberty, ça va?

– Oui, murmura-t-elle en esquissant un pâle sourire. Merci.

Jared traversa la boutique en piétinant le moins de livres possible.

– C'est effrayant, Finn, souffla-t-elle.

– Je sais, dit-il en la pressant contre lui. Mais nous trouverons le responsable de cet acte de vandalisme ainsi que toutes les réponses à nos questions. Il ne t'arrivera rien. Rien du tout.

Il s'était exprimé d'un ton si froid, tellement implacable que Liberty en frissonna et elle hocha la tête, incapable de parler.

7

QUAND Jared revint vers eux, il avait rangé son arme.

– L'appartement a subi le même sort, annonça-t-il.

Liberty ne put que baisser le nez.

– La première question qui se pose à nous est simple, reprit Jared en fixant le couple.

– Qui a fait cela? dit Finn.

– Non, on y viendra plus tard. Il faut que je sache...

– Ce qu'on est venu chercher, coupa Liberty d'un ton farouche. C'est cela, n'est-ce pas?

– Bravo! s'écria Jared en souriant.

– Que dites-vous de cela, Sherlock Holmes? fit-elle en lançant un coup de coude dans les côtes de Finn. J'ai gagné.

– Miss Marple, vous êtes de première force, rétorqua-t-il.

Et il l'embrassa sur le bout du nez.

– Vous avez gagné le droit de monter faire vos bagages, dit Jared. Finn, Liberty peut-elle s'installer chez toi jusqu'à ce que nous ayons éclairci cette affaire?

– Parfaitement, répondit-il avec un large sourire. Je me sacrifierai.

– Montons, proposa Jared, et nous réfléchirons pendant qu'elle préparera sa valise.

– Et toute cette pagaille? s'affola-t-elle.

– On laisse tomber pour l'instant, dit Jared.

Une fois la valise achevée, Liberty vint s'asseoir sur le canapé près de Finn qui eut un regard appréciateur pour sa nouvelle tenue : une chemisier jaune paille et un jean bleu.

– Veux-tu du café? lui proposa-t-il.

– Volontiers. Où en êtes-vous de vos réflexions?

– Nous n'avons pas beaucoup d'éléments, répondit Jared. Je pense que Beverly est vivante et qu'elle joue un rôle dans le plan élaboré par les agents fédéraux. Nos ennemis sont à la recherche de quelque chose et ils ont gobé la mort de Beverly Shaw. Ils sont venus chez elle pour retrouver ce qu'il leur faut.

– Il n'y a que des livres, ici, dit Liberty. Finn et moi avons déjà tout fouillé pour mettre la main sur un paquet qu'une certaine Victoria Manfield voulait récupérer au plus vite. Et nous n'avons fait que retourner la poussière.

– Victoria Manfield? Un paquet? répéta Jared.

– Cela n'a rien à voir avec notre affaire, répondit la jeune femme. Il s'agit d'un livre auquel elle est attachée pour des raisons sentimentales et qui n'aurait jamais dû aboutir ici. Ma tante le tenait à sa disposition pour le lui rendre mais nous ne l'avons pas déniché.

Liberty haussa les épaules.

– Voilà tout, conclut-elle.

Jared se pencha en avant du fauteuil.

– Manfield...

– Oui, les magnats de Californie, précisa Finn. J'ai reconnu cette femme pour l'avoir vue dans les journaux.

– Elle a dit que le paquet contenait un livre?

– Oui, du genre recueil de poèmes ou journal intime, expliqua la jeune femme... Elle n'a pas dit exactement ce que c'était.

– Un journal intime..., répétèrent à l'unisson Jared et Finn tandis que leurs regards se croisaient.

– Mais c'est ridicule! s'exclama Liberty. Quel intérêt aurait-on de savoir qui Victoria Manfield a embrassé en cachette quand elle avait quinze ans? J'ai pensé que ma tante avait pu l'emporter avec elle mais c'est absurde. Ce que je sais, c'est que le paquet n'est ni dans l'appartement ni dans la librairie. Peut-être ma tante l'a-t-elle envoyé par la poste à Victoria Manfield... Il a pu se perdre en route.

– Peut-être, dit Jared.

Liberty regarda Finn puis Jared avant de fixer de nouveau Finn.

– Pourquoi consacrer tant de temps à parler d'un paquet qui n'a aucun rapport avec l'affaire?

– Il nous arrive de travailler de cette façon,

Liberty, répondit Jared. Nous étudions tous les faits afin de retenir ceux dont nous avons besoin... mais cela ne marche pas toujours.

– Il faut que cela marche! répliqua-t-elle. Et ça va marcher. Tante Beverly est en vie quelque part. Crusher a été blessé alors qu'il me protégeait. Nous n'allons pas baisser les bras.

Jared lui sourit.

– J'ai eu de la chance de ne pas vous avoir eue pour chef quand j'étais agent!

Il se leva.

– Finn, je vais m'installer chez toi dans l'aile de Tina. Partons d'ici. Nous n'avons plus rien à y faire et je suppose que *La Ruche* est sous surveillance constante, mais qu'on a posté quelqu'un de beaucoup plus discret que ne l'était Crusher.

– Quel est ton plan?

– Passer des coups de fil afin de m'informer. Notamment sur les activités de la famille Manfield. Nous ne devons négliger aucun indice.

– Très bien, dit Finn en se levant. Es-tu prête, Liberty?

– Oui, je...

Le téléphone sonna.

– Répondez vous-même, Liberty, conseilla Jared.

Elle décrocha d'une main qui tremblait légèrement.

– Allô?

– Liberty, ma chérie, c'est ta tante Beverly.

– Tante Beverly!

Les deux hommes approchèrent.

– Où êtes-vous? Il s'est passé tant d'événements à *La Ruche*...

– Liberty, tout était si bien préparé... Je ne t'aurais pas impliquée là-dedans si j'avais pu prévoir quel tour prendraient les choses. Mais comme j'étais d'accord pour disparaître, j'ai décidé de te donner ma librairie que j'adore. J'ai pensé que tu la vendrais pour t'offrir un logement à ton goût.

– C'est très gentil, dit Liberty.

Elle écarta l'appareil de son oreille afin que Finn et Jared puissent entendre les propos de Beverly Shaw.

– Êtes-vous des agents fédéraux?

– Oui. Je t'appelle pour te demander de retourner immédiatement à Chicago. Tu ne dois courir aucun risque. Moi, je suis en sécurité avec Clarence et Colette. Tout va bien.

– Clarence, le notaire?

– Oui.. Clarence et moi nous aimons depuis des années. Il regrette que Finn soit tombé avec la corbeille à papiers. Il voulait s'assurer qu'il ne restait aucun indice de votre rencontre dans le bureau... Finn est un charmant garçon. Ce serait merveilleux si... Non, rentre chez toi aujourd'hui même, Liberty. Par le premier avion.

– C'est impossible. Le paquet destiné à Victoria Manfield a-t-il trait à l'affaire?

– Je suis obligée de raccrocher. Ils ne veulent plus que je parle. Liberty, je t'embrasse.

– Mais... Elle a coupé. Je sais qu'elle est vivante! Et que son chat est près d'elle.

– Liberty, dit Jared, on vous demande de regagner Chicago.

Elle croisa les bras sur la poitrine.

– Non, je n'irai pas. Je suis venue ici pour l'été et j'y reste.

Seulement pour l'été? Finn garda cette question pour lui. Ils devaient agir sans tarder.

– Voyez-vous une simple coïncidence dans le fait que ma tante a raccroché au moment où j'ai mentionné le paquet de Victoria Manfield? reprit la jeune femme.

Finn haussa les épaules.

– Qui sait? dit Jared.

– En tout cas, mon cher Watson, dit Liberty à Finn, nous avons éclairci le mystère de la disparition des aliments pour chat.

– Et comment, Sherlock Holmes! Nous faisons une équipe du tonnerre!

Plus qu'une équipe, pensa-t-il. Un vrai couple. Dieu qu'il aimait cette femme!

« Une équipe, Finn et moi, songea-t-elle, en traversant la pièce. Qu'il serait bon de rester toujours ensemble, à nous aimer! » Mais la vie n'était pas un conte de fées et la réalité lui paraissait bien dure : la peinture était hélas la véritable maîtresse de Finn O'Casey. Une maîtresse exigeante, qui tiendrait toujours la première place dans son existence.

Une fois dans la vaste maison de Beverly Hills, Jared disparut dans l'aile de Tina avec sa valise après avoir annoncé aux deux autres qu'il les rejoindrait dans la cuisine de Finn à midi, pour les informer de ce qu'il aurait appris et pour déjeuner.

– C'est immense, ici ! s'exclama Liberty. Je ne m'en étais pas bien rendu compte, hier soir. On pourrait s'y perdre.

– Oui, c'est trop vaste pour moi. J'ai parfois envie de proposer à Tina qu'on vende. Et puis je me rappelle les bons moments que nous y avons vécus et je remets cela à plus tard. En outre, j'ai fait aménager l'atelier selon mon goût... Naturellement, je pourrais en installer un autre ailleurs qui lui soit identique... Il faudra que j'en parle à Tina.

– Je comprends que tu n'aies pas envie de vendre la maison de ton enfance, Finn. Moi, je n'ai jamais vécu assez longtemps quelque part pour y avoir une moisson de souvenirs.

– Jusqu'à ce que tu t'installes à Chicago...

– Oui, dit-elle en soutenant son regard.

Maudit Chicago ! pensa Finn.

– Depuis ton arivée ici, dit-il d'un ton délibérément léger, tu n'as pas eu le temps de t'ennuyer.

– En effet.

Elle y avait découvert l'amour...

– Crois-tu que nous percerons le mystère de tante Beverly ? ajouta-t-elle, pressée de changer de sujet.

– Si quelqu'un est capable de le résoudre, c'est Jared. Viens, tu vas te reposer dans l'aile que j'occupe...

Il prit sa valise.

– ... Je suis content que tu ne sois pas restée seule dans l'appartement de ta tante, hier soir.

Elle rit.

– L'ennemi sait que je n'ai pas dormi dans mon lit.

– Tes parents risquent-ils de t'appeler là-bas?

– Non. Je leur ai téléphoné à mon arrivée et nous avons l'habitude d'échanger une lettre par semaine. Mon père est furieux que sa sœur m'ait légué *La Ruche* qu'il tient pour un lieu mal fréquenté.

Elle soupira.

– S'il savait qu'elle est bien vivante et heureuse auprès de son amoureux ! Il ne sait pas non plus que sa fille est avec quelqu'un... A ses yeux, je suis toujours une gamine.

– A mes yeux, déclara Finn qui lui passa le bras autour des épaules, tu es une femme.

Elle était une femme, oui.

– Merci, monsieur. J'aimerais déballer mes robes maintenant sinon elles seront froissées. C'est fou ce que j'ai dû faire comme bagages, ces temps-ci.

Que dirait-elle de préparer une valise pour s'en aller en voyage de noces? se demanda-t-il. Mais pour qu'il y ait lune de miel, encore faudrait-il qu'elle lui rende son amour...

– Liberty, commença-t-il alors qu'ils entraient dans sa chambre à coucher.

Elle se tourna vers lui.

– Oui?

– Je... Rien. Tu peux vider ta valise.

– Pas complètement... Après tout, l'affaire de tante Beverly peut se conclure très vite et je retournerai à l'appartement.

– Ah oui...?

– Évidemment. Je veux dire que je ne peux pas m'installer ici jusqu'à la fin de l'été.

Ni jusqu'à la fin de sa vie.

– Pourquoi pas? fit-il en prenant son visage dans ses mains. Pourquoi ne t'installerais-tu pas ici avec moi?

Elle frémit tout entière sous la caresse sensuelle des pouces de Finn sur ses joues.

– Je viens à cause de ce qui s'est passé à *La Ruche*... Je n'ai jamais vécu avec un homme. Donc, quand il n'y aura plus de danger, je.... Mais tu dois me trouver bien puérile! que je suis bête...

Il lui sourit.

– Liberty, je n'ai jamais vécu avec une femme. Aucune n'a été assez importante pour cela... Non, je t'assure, personne avant toi...

A ces mots, elle recula et Finn dut détacher les mains de son visage.

– Finn, dit-elle, les larmes aux yeux, quand cette affaire sera finie et que l'été sera passé, nos vies reprendront un cours normal.

– Liberty...

– Je ne suis ici que pour un temps, poursuivit-elle. Et puis tu te consacreras de nouveau à la peinture. Il le faut et je le comprends parce que tu as un talent immense.

– Mais je...

– Et moi, je regagnerai Chicago pour l'année

scolaire, murmura-t-elle en laissant couler ses larmes. Tant de choses se sont passées, et si vite... Certaines sont un vrai cauchemar et d'autres un rêve merveilleux. Tout est embrouillé, je ne m'y retrouve plus.

Il l'attira contre lui en se traitant d'imbécile pour avoir voulu précipiter les événements. Les larmes de Liberty lui déchiraient le cœur et il resserra son étreinte, désireux de la réconforter, mais il ne sut que dire.

Elle releva enfin la tête.

– Pardon de pleurer si bêtement, dit-elle sans oser le regarder.

– Tu en as le droit, répondit-il avec douceur. Dis-moi, pourquoi ne t'occuperais-tu pas de tes robes? Ensuite, tu pourras t'étendre sur le lit. Je viendrai te chercher lorsque Jared me rejoindra pour déjeuner. D'accord?

– Oui. C'est une bonne idée.

Il effleura ses lèvres d'un baiser.

– Repose-toi... Liberty, tout va s'arranger, tu verras.

Elle hocha la tête, fit une tentative pour sourire qui échoua, puis se dégagea de son étreinte.

Finn résista à l'envie qu'il avait de la serrer contre lui, de lui dire qu'il la tiendrait dans ses bras pendant qu'elle se reposerait sur le lit. Il détourna les yeux et sortit dans le couloir en soupirant à la perspective de regagner la salle de séjour si vaste et si vide.

– Jared Loring? Tiens, tiens, dites-moi donc

pourquoi je ne suis pas trop surpris d'entendre votre voix après tant d'années?

Jared se cala le téléphone au creux de l'épaule et il allongea les jambes sur la table basse.

– C'est parce que rien de ce qui se passe dans le pays n'échappe au grand patron omniscient que vous êtes, répondit-il. Vous savez, je mettrais ma main au feu que Finn O'Casey se trouve impliqué dans votre affaire. Oui Finn, est mon beau-frère et le fils de Chuck.

– Grand patron omniscient, avez-vous dit? Vous auriez dû me témoigner ce même respect du temps où vous étiez sous mes ordres, Loring! Qu'avez-vous à m'apprendre aujourd'hui sur l'affaire en question?

– Hank, Liberty Shaw vient de recevoir un coup de fil de sa tante Beverly qui lui a demandé de retourner au plus vite à Chicago.

– Cela vaudra mieux pour elle.

– Le fait est que Victoria Manfield doit être prête à tout pour récupérer son journal intime, n'est-ce pas?

– Non, Victoria a cru Liberty Shaw, quand la petite lui a appris qu'elle n'avait rien trouvé à *La Ruche*. Elle savait que Beverly était une étourdie. Selon nos sources, Victoria était même prête à laisser tomber et à fuir. C'est son père qui n'abandonne pas la partie.

– Le père Manfield? Qu'y a-t-il donc dans le journal de sa fille?

– Des numéros de comptes bancaires douteux avec leurs intitulés... La liste de ceux qui ont payé les Manfield en échange de services rendus.

– Quel genre de services?

– Le père Manfield a servi d'intermédiaire dans une foule d'adjudications en Californie. Il savait tirer profit de ses relations...

– Dans toute la Californie. Cet homme m'a l'air bien actif...

– D'après ce précieux journal, c'est la famille entière qui déborde d'activités. Son épouse est intervenue pour faire cesser les poursuites contre les jeunes drogués, moyennant un bon prix. Le fils cadet est spécialisé dans le transport de main-d'œuvre clandestine. Quant à cette chère Victoria, c'est une vraie touche-à-tout. La liste de leurs obligés est longue. Cette femme a été d'une imprudence folle de tout consigner par écrit.

– Je savais qu'il s'agissait d'un gros coup... Coment allez-vous procéder, Hank?

– Il nous faut absolument arrêter tous les coupables de façon simultanée. Cela exige une coordination parfaite jusque dans les moindres détails. Il y a beaucoup de personnes en haut lieu qui se trouvent mouillées et nous ne voulons pas qu'elles nous filent entre les doigts. Vous n'avez pas idée du nombre d'agents qui nous seront nécessaires.

– Le temps est votre ennemi, Hank. Plus vous attendrez et plus vous courrez le risque qu'une fuite se produise.

– C'est certain mais si nous ne prenons pas nos précautions, il y a des coupables qui s'en tireront à bon compte. On m'assure que Manfield se tient tranquille. Il est persuadé de pouvoir trouver le journal de sa fille et poursuivre ses activités frauduleuses sans être inquiété... Vous aviez deviné juste, c'est une grosse affaire. Et attendez de voir la suite : vous serez surpris de découvrir le nombre de personnalités qui vont tomber de leur piédestal. Cela va être un fameux coup de balai.

– Hank, je parie que Manfield est soucieux. Il a déjà recouru à la violence pour retourner *La Ruche* de fond en comble.

– Je sais. C'est pourquoi je veux que Liberty Shaw regagne Chicago par le premier avion... Je suis sûr que votre présence à Los Angeles a été signalée mais j'espère qu'on la mettra sur le compte d'une simple visite familiale... Les choses sont déjà assez compliquées pour moi !

– Quand prévoyez-vous de lancer votre coup de filet tous azimuths ?

– Après demain si tout va bien. L'affaire est si complexe et j'y ai tellement d'agents que je me sens comme Napoléon à la veille d'une grande bataille. Tous nos hommes devront agir ensemble. Un décalage de dix minutes pourrait nous faire perdre certains de ces salauds. Et je n'ai pas l'intention d'en rater un seul.

– Je vois le tableau... Hank, Finn et moi assurons la sécurité de Liberty Shaw. Supprimez donc sa filature de votre liste d'obligations.

– Merci, Jared. Je vous téléphonerai pour vous tenir au courant.... Et je vous promets qu'une fois cela terminé, je prendrai de longues vacances ! Surtout, ne lâchez pas Liberty d'une semelle. Je présume que vous n'envisagez pas de revenir travailler avec nous... ?

– Non. J'ai une épouse exceptionnelle, une maison neuve que nous avons l'intention de remplir de petits Loring et un casino qui est en train de faire ma fortune. Pourriez-vous me proposer mieux?

– Non... Je vous comprends... Je garderai le contact avec vous. Veillez bien sur Liberty Shaw avec O'Casey. Et merci de votre aide, Jared.

Jared raccrocha et se leva aussitôt. L'affaire était encore plus grave qu'il ne l'avait soupçonné. Il allait en informer Finn sans tarder.

Arrivé au seuil de la pièce, il fut arrêté par la sonnerie du téléphone et il revint sur ses pas.

– Loring à l'appareil.

– C'est bien Jared Loring?

– Oui.

– On m'a donné votre numéro, au casino de Las Veggas. J'ai eu du mal à vous joindre. Je suis le capitaine Bardot de la police de La Nouvelle-Orléans.

– Oui? fit Jared, soudain tendu.

– Je suis navré mais Mme Loring a été victime d'un accident de la circulation.

– Oui...? fit-il dans un souffle alors qu'il avait envie de hurler.

– Elle va se remettre, je vous assure.

– Merci, mon Dieu, murmura Jared en se passant la main sur le visage. Tina...!

– Monsieur Loring?

– Oui... De quoi souffre-t-elle au juste?

– Un pied cassé et diverses contusions. Elle vous demande et je lui ai promis que je vous avertirais en personne.

– Vous m'avez dit qu'on vous a donné mon numéro de téléphone au casino de Las Vegas. Tina sait pourtant bien que je venais à Los Angeles.

– Elle devait être sous le choc... Je suppose que je peux lui dire que vous arrivez?

– Oui, oui, évidemment. Dans quel hôpital l'a-t-on transportée?

– Une voiture de police vous attendra à l'aéroport. Nous avons accès aux ordinateurs des compagnies aériennes et nous saurons par quel vol vous arriverez. N'ayez aucune inquiétude, monsieur, votre femme se remettra. Elle a simplement besoin de votre présence. Je vais lui dire que je vous ai eu au téléphone.

– Je vous remercie. Dans quel hôpital...? Bon Dieu! ajouta-t-il quand il entendit qu'on raccrochait.

Jared partit en courant à la recherche de Finn. Il fallait agir sans tarder. Il devait lui apprendre ce qui s'était passé à La Nouvelle-Orléans, l'informer de ce qu'il savait sur l'affaire Beverly Shaw et sur son futur développement, lui demander d'entourer Liberty d'un maximum de précautions et puis il rejoindrait Tina.

Au plus vite.

Par le premier avion.

8

UN violent coup de tonnerre tira brusquement Liberty de son sommeil profond et elle se redressa dans le lit sans avoir aucune idée de l'endroit où elle se trouvait. La pièce était plongée dans la pénombre et la pluie battait les vitres. Sur la table de chevet, le réveil marquait presque quatre heures.

La mémoire lui revint : elle était chez Finn. Pourquoi ne l'avait-il pas réveillée pour le déjeuner ? Elle avait pratiquement dormi toute la journée. Sans doute avait-il estimé qu'elle avait davantage besoin de repos que de nourriture...

Liberty se glissa hors du lit et, après un court passage dans la salle de bains, partit à la recherche de Finn et de Jared dans la grande maison.

Finn était installé sur le canapé de la salle de séjour. Il lisait le journal à la lumière d'une lampe car l'orage rendait le jour aussi sombre que la nuit.

A son entrée, il leva la tête.

– Tu as drôlement bien dormi, commenta-t-il.

Il plia le journal, qu'il posa sur la table basse.
– Et tu dois te sentir mieux.
– Oui, beaucoup mieux, merci. Je croyais que tu viendrais me réveiller.
Il tapotait le coussin à côté de lui en guise d'invitation et Liberty s'y assit.
– Tu dormais si paisiblement que je n'ai pas eu envie de te déranger, expliqua-t-il. Tu pourras te rattraper au dîner.
Et il lui donna un baiser profond tandis que ses mains lui caressaient le dos avant de venir vers ses seins. La jeune femme s'abandonna à son étreinte, dont elle savourait tous les détails.
Finn se redressa enfin.
– Parlons avant que tu me fasses oublier ce que je suis censé te dire.
– Comme tu veux...
– Dans une minute, murmura-t-il.
Et il reprit possession de ses lèvres.
Palpitante de désir, Liberty lui rendit son baiser avec ferveur pendant qu'au-dehors l'orage se déchaînait toujours.
Finn se redressa à regret.
– Liberty chérie, il faut que tu saches ce qui se passe..., ce que Jared a découvert.
Elle soupira.
– Très bien... Quel orage!
– C'est toujours comme cela en été... Moi, j'aime la pluie, le tonnerre et les éclairs. C'est la façon qu'a la nature de nous dire : attention, bonnes gens, ne perdez pas de vue l'essentiel dans la vie : c'est le soleil, la pluie, l'air que vous respirez.

Liberty sourit.
– Où est Jared?
– Il a dû se rendre à La Nouvelle-Orléans. Tina a eu un accident de voiture.
– Quoi? Comment va-t-elle?
– Pas trop mal. Quelques contusions et une fracture du pied. Elle voulait avoir Jared auprès d'elle.
– Je la comprends! Finn, je suis désolée. Cela a dû t'inquiéter et tu aurais pu partir avec Jared si tu n'avais pas été occupé ici, à veiller sur moi.
– Primo, c'est avec toi que je veux être et secundo c'est uniquement Jared que Tina a demandé. Il appellera ici quand il l'aura vue pour nous donner de ses nouvelles.
– Il ne l'a pas eue au téléphone?
– Non. C'est la police qui l'a averti. Et avant son départ, il m'a raconté l'affaire de ta tante Beverly.
– Tu plaisantes! A nous deux, nous avions déjà découvert pas mal de choses.
Il lui donna un petit baiser.
– Oui, miss Marple, nous pouvons être fiers de nous... Figure-toi que Jared...
Liberty écouta attentivement le récit de Finn.
– Je n'en reviens pas! s'écria-t-elle lorsqu'il se tut enfin. Il y a tant de gens impliqués dans cette histoire... Tante Beverly n'aurait-elle pas dû s'adresser à la police quand elle s'est rendu compte de ce que contenait le journal de Victoria?
– Elle s'est adressée à son notaire, Clarence

Smith, qu'elle connaissait. Elle a reçu une prime pour avoir trouvé quelque chose qui était précieux pour son pays. Tu sais, les agents secrets ont une bonne marge de manœuvre. Ta tante n'était pas la candidate idéale pour leurs programmes de protection. Elle parle trop et ne passe pas inaperçue. A l'heure actuelle, elle est en sécurité et on la croit morte. Étant donné sa personnalité, c'était la meilleure solution à adopter... *La Ruche* reste légalement ta propriété, avec la bénédiction du gouvernement.

– Je vois.

– Et maintenant le gros point noir : cette affaire est si dangereuse que Jared a conseillé à son ancien chef de mettre tous les hommes dont il disposait sur l'enquête, lui précisant qu'il se chargerait lui-même de ta sécurité avec mon précieux concours. Il est parti, ce qui te laisse seule sous ma protection, ma petite... Nous n'allons pas sortir d'ici avant deux jours.

– Je... je suis encore en danger?

– Manfield est aux abois. Il n'acceptera pas la défaite sans lutter. Il est résolu à mettre la main sur ce journal et il a l'air certain que tu sais où il est. Je suis sûr qu'il n'a pas pensé que des agents secrets pouvaient l'avoir en leur possession... Allons, ajouta-t-il en souriant, viens, je vais te donner à manger... On a assez de réserves ici pour soutenir un siège... Au fait, j'ai branché le système de sécurité. N'ouvre plus les portes ni les fenêtres, sinon tu déclencherais l'alarme. Nous sommes bien à l'abri ici, ma chérie.

– Merci, Finn.

Il lui caressa la joue de l'index.

– Tout le plaisir est pour moi.

– Élémentaire, mon cher Watson! J'espère que Jared nos donnera bientôt des nouvelles de Tina.

– Il appellera dès qu'il le pourra. Allons manger.

Il sembla à Jared que son vol durait une éternité. Sitôt arrivé à La Nouvelle-Orléans, il quitta sa place, son sac de voyage à la main, soulagé de n'avoir pas d'autre bagage à attendre.

La nuit était tombée quand il sortit dans l'air chaud et humide, impatient de revoir Tina et vaguement soucieux. Son instinct, qui lui avait naguère sauvé la vie au cours de ses missions, lui soufflait depuis quelques heures que les choses ne tournaient pas rond.

Avisant une voiture de police garée le long du trottoir, devant lui, il s'adressa au jeune homme en uniforme.

– Excusez-moi, est-ce que vous attendez Jared Loring?

– Pas que je sache... Veut-on l'arrêter?

– Non. Jared Loring, c'est moi, et le capitaine Bardot a dit qu'une voiture de police m'attendrait pour me conduire à l'hôpital.

– Le capitaine comment?

– Bardot.

– Jamais entendu parler de lui. Mais je ne suis pas ici depuis longtemps. Montez, je vais m'informer pour savoir où joindre Bardot.

– Merci de votre aide.

Jared s'assit dans la voiture et, tandis que l'officier de police tournait les boutons de sa radio, il eut la certitude qu'il n'existait pas de capitaine Bardot dans la police de La Nouvelle-Orléans et sa gorge se serra.

– Monsieur Loring? Il n'y a pas de capitaine Bardot chez nous. Quelqu'un a dû vous jouer un tour...

– Peut-être! fit Jared en quittant son siège.

Il ferma la portière. L'officier haussa les épaules avant de démarrer en douceur et Jared courut à la première cabine téléphonique.

Quelques minutes plus tard, une voix on ne peut plus familière lui répondait :

– Allô?

– Allô, Tina?

– Jared, comme c'est gentil! Je pensais justement à toi. Tu me manques terriblement. Alors, que se passe-t-il chez Finn?

– Tina, je suis ici, à La Nouvelle-Orléans.

– Ici, pourquoi?

– J'arrive tout de suite à ton hôtel. Reste dans ta chambre et n'ouvre pas la porte à moins d'être sûre que c'est à moi.

– Comme tu voudras...

– Je t'expliquerai. Je me suis fait avoir, Tina. J'appelle Finn et je saute dans un taxi pour te rejoindre. Ne bouge pas. Je t'aime.

Mais il lui fut impossible de joindre Finn dont le téléphone était en dérangement.

– Finn, dit Liberty, si tu continues à fixer le téléphone avec ces yeux-là, tu vas le faire fondre.

– Si seulement Jared...

Il décrocha.

– Bon sang, pas de tonalité! Ce doit être cet orage... Jared ne peut pas me joindre et cela risque de durer des heures.

– Sortons chercher une cabine où le téléphone fonctionne.

– Pas question que tu quittes cette maison, Liberty! s'emporta-t-il.

– Mais...

– En outre, Jared n'a pas précisé dans quel hôpital se trouve Tina. Je ne suis même pas sûr qu'il le sache parce qu'une voiture de police devait le prendre à l'aéroport.

– J'ai horreur de te voir dans cet état.

Finn vint s'asseoir près d'elle et il lui glissa le bras autour des épaules.

– Pardon de crier mais quand je pense que j'attends depuis des heures un coup de fil sans me rendre compte que la ligne est en dérangement, ça me met les nerfs en pelote!

– Tu es pardonné. Mais je persiste à croire que nous pourrions sortir tous les deux et...

– Non. Nous n'allons pas prendre de risque. Jared veille sur Tina et moi sur toi. Il est... presque dix heures. Veux-tu que je prépare du pop-corn?

– Volontiers.

– Que puis-je te proposer d'autre? fit-il en inclinant la tête vers la sienne.

– Quelque chose à boire?

Il lui caressa les lèvres de sa langue.

– Et que désires-tu encore? murmura-t-il.

Un frisson la parcourut.

– Ce que je désire... Finn, tu me rends folle...

– Tu as meilleur goût que le pop-corn, fit-il en plantant de petits baisers dans le cou de la jeune femme, c'est bien ce que je pensais.

Et il s'empara de ses lèvres en l'attirant contre son corps. Liberty glissa les doigts dans les cheveux de Finn, si drus et si souples.

– Liberty, souffla-t-il, je...

Il voulait dire « Je t'aime » mais il se ravisa.

– J'ai envie de toi.

– Moi aussi, Finn... Oh non!

Les lumières venaient de s'éteindre, plongeant la pièce dans une obscurité totale.

– Bon sang! tonna Finn en se redressant. Ne t'inquiète pas mais je vais chercher mon revolver dans ma chambre, par précaution.

– Tu m'inquiètes à vouloir tenir une arme entre tes mains.

– Je me sentirai mieux avec. Le système d'alarme ne marche pas quand l'électricité est coupée. Toi, ne bouge pas.

– Je ne m'aventurerai pas à le faire parce que je n'y vois rien.

– Je reviens tout de suite.

Liberty entendit Finn qui partait et elle sonda les ténèbres avec appréhension. Petit à petit des formes se dessinèrent dans l'obscurité : un fauteuil, une lampe. Rien ne se détachait nettement mais au moins elle n'avait plus l'impression d'être dans un tunnel. Finn et elle pourraient allumer des bougies et l'atmosphère deviendrait romantique... Cet orage n'avait rien de catastrophique.

Soudain un bruit de verre brisé lui parvint du vestibule. Elle se leva d'un bond et tourna la tête vers le couloir avec l'espoir que Finn allait revenir.

Silence. Un silence si oppressant que Liberty avait du mal à respirer. Pourquoi Finn ne revenait-il pas? Où était-il?

Saisie d'angoisse, la jeune femme avança dans l'obscurité, les mains en avant. La table..., le téléphone..., la lampe... Rien ne la séparait plus du couloir.

Ce fut alors qu'elle entendit tousser discrètement dans le vestibule et elle eut la certitude affreuse que ce n'était pas Finn.

Il y avait quelqu'un d'autre dans la maison!

Terrorisée, la jeune intrépide rebroussa chemin pour se réfugier sur le canapé en se guidant de ses mains. La lampe... La table. Ses doigts rencontrèrent un gros cendrier de verre bien lourd et se refermèrent dessus.

Liberty se laissa tomber sur le canapé en serrant fébrilement le cendrier contre elle, tel un précieux trésor. L'oreille aux aguets, elle attendit.

Un sanglot se forma dans sa gorge quand le pinceau d'une torche balaya la pièce.

– Fini de jouer au plus fin, mademoiselle Shaw..., dit une voix grave. Bo, jette un coup d'œil dans la cuisine.

Grands dieux, ils étaient au moins deux, à la rechercher! Qu'avaient-ils fait à son cher Finn?

– Personne dans la cuisine, monsieur Manfield.

Manfield? Le misérable, l'ordure!

– Elle est quelque part par ici, dit-il.

– Il ne fallait pas s'attaquer aux fusibles comme ça, monsieur. Si on pouvait y voir clair...

– Je vais bien la trouver... Mademoiselle Shaw, Finn ne peut plus vous protéger. Je n'ai rien contre vous. Il me faut simplement récupérer le journal. Rendez-le-moi et je m'en irai. Allons, ne perdons pas de temps.

Inexorable, le rayon de la torche continuait de balayer la pièce. Liberty posa le cendrier sur le tapis, ôta une chaussure et attendit. Quand la lumière éclaira le côté opposé de la salle, elle se leva, lança la chaussure aussi fort que possible et se rassit sur le canapé où elle se fit toute petite.

– Aïe! Mon nez, bon Dieu!

– Ferme-la, Bo.

Bien visé, se réjouit Liberty mais que va-t-il se passer maintenant?

– Je veux de la glace pour mon nez, annonça Bo.

– Aide-moi plutôt à chercher la fille.

– J'en ai pour une minute.

– Mademoiselle Shaw? dit Manfield qui avançait dans la pièce. Cela suffit comme cela.

Elle saisit le cendrier à deux mains.

Manfield approchait. Elle bondit en hurlant:

– Sherlock, Smiley, entrez vite!

Le pinceau de la torche se détourna pour aller

fouiller l'ombre du vestibule et Liberty lança le cendrier à la tête de Manfield, de toutes ses forces.

– Mon Dieu, s'écria-t-elle tandis qu'il s'écroulait sur le tapis, je l'ai tué!

Elle entendit des pas précipités au-dehors et la porte d'entrée céda bientôt s'ouvrant à la volée.

– Liberty Shaw! appela un des arrivants. C'est Jared qui nous envoie.

– Merci, répondit-elle. Finn!... Il faut trouver Finn. Aidez-moi.

Les deux hommes avançaient, torche au poing.

– Par ici, Smiley! fit une voix faible.

Et Finn gémit contre le mur du couloir, une main sur la tête.

– Finn! s'écria Liberty en volant vers lui.

Il lui entoura les épaules de son bras libre.

– Qu'as-tu?

– Liberty, je suis navré. Ils m'ont surpris avant que je puisse réagir... T'ont-ils fait du mal?

– Non... Je... J'ai tué Manfield. J'ai cassé le nez de Bo et...

– Il n'est pas mort, annonça un des hommes. Il s'en tirera avec une bosse au crâne.

– Dieu merci... Oh!

– Que se passe-t-il? marmonna Finn.

L'électricité était revenue.

– Joe a dû trouver les fusibles, expliqua l'homme. Je suis Wheeler. Jared nous a averti qu'il se passait du vilain ici et nous sommes venus aussitôt. Mais Mlle Shaw avait déjà rétabli la situation.

– Mon père ne serait pas fier de moi, dit Finn, la mine lugubre.
– Tais-toi, lui souffla Liberty. Comment va ta tête ?
– Elle me fait un mal de chien. Elle souffre autant que mon orgueil.
Wheeler éclata de rire.
– Chacun sa spécialité, O'Casey. J'ai vu vos tableaux et j'échangerais volontiers mon revolver contre un pinceau si j'étais capable de peindre comme vous.
– J'ai épinglé l'autre, annonça Joe depuis la cuisine.
– C'est Joe qui a eu Bo ! dit Liberty dans un brusque accès de gaieté. Ça rime, Finn.
– On vous débarrasse de ces deux-là, déclara Wheeler. Et on va appeler Jared pour l'informer que tout est fini.
– A propos, dit Finn, il ne vous a pas donné de nouvelles de sa femme ?
– J'allais oublier. Tina n'a pas eu d'accident. On voulait éloigner Jared d'ici et il s'en veut de ne pas avoir flairé la manœuvre.
– Je comprends ce qu'il peut ressentir, grogna Finn, l'air malheureux.
– Ça arrive à tout le monde, répondit Wheeler.
Il hissa M. Manfield sur ses pieds et le milliardaire gémit tandis qu'on l'entraînait vers la sortie.
– Au revoir, Finn. Tant mieux, il ne pleut plus... Heureux d'avoir fait votre connaissance, mademoiselle Shaw.
– Merci pour tout, dit Finn.

Liberty riait nerveusement et Finn la prit dans ses bras pendant que les espions, ces hommes de la nuit, s'éloignaient.

– Viens t'asseoir. Tu as besoin de boire quelque chose.

Il l'installa sur le canapé et il alla lui préparer un verre qu'elle engloutit d'un seul trait.

– Pouah, quelle horreur! fit-elle dans un frisson.

– Cela ramène la couleur à tes joues. Tu étais affreusement pâle. Liberty chérie, tu as fait du beau travail.

– Comment va ta tête?

– Ça s'arrange. Mon crâne commence à s'habituer aux coups... Quand je pense que tu étais seule contre ces deux individus...

– N'y pense plus, c'est fini. T'en rends-tu compte? L'énigme est résolue, le cauchemar est terminé et nous pouvons retourner à une vie normale, comme tout le monde.

– C'est juste... Pour commencer allons dormir. Si tu savais... J'étais tellement groggy quand je suis revenu à moi que j'ai cru qu'on appelait Sherlock et Smiley à la rescousse. Je te le jure... Ah! Liberty, je ne suis pas fait pour opérer dans les services secrets!

La jeune femme se contenta de sourire.

9

DEUX jours plus tard, quatre personnes parcouraient fébrilement la presse quotidienne dans la paisible salle de séjour.

– Incroyable! s'exclama Tina.

– C'est inouï, conclut Liberty en abandonnant sa lecture. Dire que c'est le journal intime de Victoria Manfield qui a déclenché toute cette affaire!

– Quelle négligence de sa part! commenta Jared. Exposer ainsi noir sur blanc les turpitudes de son père et laisser ensuite traîner son journal...

– De toute évidence, intervint Finn, cette femme n'avait pas l'étoffe d'un malfaiteur. Vous rendez-vous compte du nombre de gens qu'on a mis sous les verrous, à commencer par les Manfield au grand complet?

– Hank a fait un travail extraordinaire, reprit Jared. Ses agents se sont dispersés dans la ville et l'État de Californie et il n'y a pas eu plus de trente secondes d'écart entre chaque arrestation opérée. Personne n'a eu le temps d'avertir un complice ou de prendre la fuite.

Il secoua la tête.

– Et moi, pendant ce temps-là, je mangeais des crevettes frites à La Nouvelle-Orléans...

Tina lui caressa le genou.

– Calme-toi. Nous savons combien Finn et toi étiez en colère contre vous-mêmes, sur le moment... Vous êtes très machos, messieurs, mais vous pouvez remarquer que ni Liberty ni moi ne vous en blâmons.

Un éclair de malice brilla dans ses yeux tandis qu'elle poursuivait :

– Après tout, Liberty a parfaitement su dominer la situation, sur place et...

– N'as-tu pas un avion à prendre? coupa Finn, assez sèchement.

– Voyons, laisse ta sœur s'exprimer, répliqua Liberty. Que disiez-vous, Tina?

Jared éclata de rire. Il se leva et tendit galamment la main à son épouse en interpellant son beau-frère :

– Finn, nous avons trouvé à qui parler, toi et moi. Pour ma part, je retourne à Las Vegas où je soignerai mon orgueil de mâle blessé... Notre avion attend, mon amour, dit-il à Tina. Il faut encore prendre Tortue et Crusher sur le chemin de l'aéroport. Crusher abandonne les services secrets pour travailler au casino *Miracles*.

– Je les trouve touchants, tous les deux, déclara Tina en souriant. J'espère qu'ils se marieront.

Elle se tourna vers Liberty.

– Quant à votre tante Beverly et son ami Clarence Smith, ils sont faits l'un pour l'autre. Vous aurez désormais la chance de les voir de temps en temps.

– Oui, j'aurai enfin la possibilité de faire plus ample connaissance avec ma tante.

– Allons, viens, Tina, fit Jared.

Finn se leva pour embrasser sa sœur sur la joue.

– Au revoir.

Elle lui sourit affectueusement.

– Je t'appellerai bientôt, Finn. J'aimerais tant que tu me donnes...

Elle regarda Liberty.

– ... de tes nouvelles avec tous les détails.

– Va vite, lui dit son frère en désignant la porte du geste.

– Tu n'es pas drôle, rétorqua-t-elle avant de serrer chaleureusement la main de Liberty. Je suis si heureuse de vous connaître... Au revoir, Liberty.

– Au revoir, répondit Liberty. Au revoir, Jared.

– Salut, fit-il. On sort par la porte du milieu, Finn, puisque la tienne n'est pas réparée. Inutile de nous accompagner. Je fermerai derrière nous.

Dans la pièce redevenue silencieuse, Finn se tourna vers Liberty qui fixait la cheminée vide.

– Liberty?

Elle pivota sur elle-même.

– Oui?

– Tu as l'air d'être à des années-lumière d'ici.

– Non, répondit-elle tranquillement. Je ne suis pas si loin.

Les mâchoires de Finn se durcirent.

– Tu es à Chicago, pas vrai?

La jeune femme releva le menton.

– Oui, je songeais à Chicago. C'est normal, après tout. Je vis là-bas...

Elle s'éclaircit la voix.

– ... J'adore Tina et Jared et le spectacle de leur bonheur...

– Liberty, je t'aime!

– ... me réchauffe le cœur, acheva-t-elle d'une voix sourde, sans paraître avoir entendu la déclaration de Finn.

Il s'approcha lentement d'elle. Glissant les doigts dans ses longs cheveux soyeux, il la fixa droit dans les yeux.

– Je t'aime, Liberty Shaw. Je te demande de devenir ma femme.

– Non, ne dis pas cela! s'écria-t-elle, les yeux soudain pleins de larmes.

– Pourquoi pas? C'est la vérité. Dis, Liberty, m'aimes-tu?

– Je... Oh! oui, Finn O'Casey, je t'aime mais...

– Dieu merci!

Il leva un moment les yeux au plafond avant de contempler le visage bouleversé de la jeune femme.

– Je rêvais de t'entendre prononcer ces paroles.

– Non, Finn..., ce n'est pas cela qui compte parce que rien n'a changé, au fond. Je croyais que nous pourrions disposer de tout l'été mais je vois que ce n'est vraiment plus possible...

Les larmes ruisselèrent sur ses joues.

– Veux-tu me conduire à *La Ruche*, s'il te plaît?

– Qu'est-ce qui te prend? fit-il en l'empoignant par les épaules. Nous nous aimons. C'est la seule chose qui compte, Liberty.

– Ce n'est pas si simple. Nous sommes issus de milieux différents et...

– Tu n'es même pas attachée à la ville de Chicago! Je comprends que tu y sois restée, bien sûr. Mais aujourd'hui nous allons nous créer un univers bien à nous, conforme à nos aspirations et à nos besoins.

– Finn, je n'ai pas ma place ici.

– Tu dis des bêtises! s'écria-t-il en secouant la tête.

– Allons dans ton atelier, fit-elle avec brusquerie.

Elle se dégagea et s'éloigna vers la porte.

– Pourquoi? demanda-t-il sans bouger.

– Allons-y, s'il te plaît, insista-t-elle en marchant plus vite.

Une fois qu'ils y furent, Liberty se planta au beau milieu du vaste local et elle dut lutter pour ravaler ses larmes.

– Le voilà, ton univers bien à toi, dit-elle avec véhémence. Ton atelier est grand mais il déborde déjà de ton talent, de tes espoirs et de tes rêves. Il n'y a pas de place pour moi, Finn.

– Ce n'est pas vrai. Je t'aime! Je suis un homme de chair et de sang, pas seulement un artiste! Et j'ai mis mon âme à nu en t'avouant que l'homme que je suis souffre de sa solitude, Liberty. Je t'aime et j'ai besoin de toi à mon côté tout au long de mon existence.

– Cela ne marchera pas. Tu te consacres entièrement à la peinture. C'est normal que l'écrivain écrive, que le peintre peigne... Il n'y a pas de moyen terme possible.

– Bien sûr que si ! Je reconnais que j'ai placé la peinture au premier plan de mes préoccupations pendant longtemps mais plus maintenant. J'ai réussi à me faire un nom et je peux mener une existence équilibrée avec toi. Je modifierai mes horaires de travail... Tu ne me crois pas ?

Un sanglot s'étrangla dans la gorge de la jeune femme.

– Je crois que c'est ce que tu penses en ce moment. Mais la peinture est une maîtresse exigeante, qui passera toujours avant moi parce que tu n'as pas le choix.

– Non, je ne suis pas d'accord avec ce que tu dis ! protesta-t-il.

Il marcha jusqu'à Liberty et l'attira vivement dans ses bras. Elle se laissa aller et nicha son visage contre son torse.

– Non, ma chérie, cela ne se passera pas comme tu l'imagines... Accorde-nous au moins une chance. Ne gâche pas tout. Nous pouvons tout avoir à la fois, tu ne t'en rends pas compte ?

– Je... non... Je ne sais pas...

Les larmes jaillirent de ses grands yeux bruns.

– Ta peinture joue le même rôle que sa carrière militaire pour mon père. Il était d'abord et avant tout un soldat, ensuite seulement un mari et un père de famille. Et il a fait tant de promesses qu'il n'a jamais pu tenir à cause de son métier ! J'ai appris à ne plus compter sur lui. Or je ne veux pas revivre la même chose avec toi, Finn.

– Mais ce n'est pas ainsi que nous vivrons ! Te rappelles-tu la citation que je t'ai lancée depuis la rue, la nuit où il fallait que tu me reconnaisses ? J'ai dit : « Je suis le maître de mon destin ; je suis le capitaine de mon âme. » Et c'est vrai. Je dirige ma vie comme je l'entends. Je ne suis pas un pantin dont les ficelles seraient tirées par une maîtresse appelée la peinture. Liberty, je t'aime.

– Moi aussi, je t'aime, répondit-elle en donnant libre cours à sa douleur, mais je n'ai pas confiance. Je sais exactement où j'en suis à Chicago. Finn, tu ne me blesseras pas intentionnellement, pas plus que mon père ne le faisait, mais je souffrirais auprès de toi, parce qu'il y a une force puissante qui te dirige. Tu as un tel talent, et ton public est si avide, si exigeant... Je trouve effrayante la perspective de vivre avec toi.

Voilà qu'il était en train de la perdre. Finn le comprit avec une incrédulité mêlée d'horreur. Il avait beau la serrer dans ses bras, il la sentait qui lui échappait. Liberty était prête à regagner son refuge de Chicago.

Elle leva la tête pour le regarder.

– Maintenant, ramène-moi à *La Ruche*, s'il te plaît. Sinon je vais m'effondrer en pleurant dans tes bras.

– D'accord, fit-il, le cœur serré. Mais promets-moi de réfléchir à ce que je viens de te dire.

Elle hocha la tête en essuyant des larmes qui roulaient sur ses joues.

– Oui, je réfléchirai à ce que tu as dit, au fait que nous nous aimons... Mais...

– Non, coupa-t-il, n'ajoute rien. Je t'attendrai ici, sans même venir à la librairie pour faire pression sur toi. Liberty, je t'aime. C'est tout ce que je peux te dire.

– Moi aussi, je t'aime, répondit-elle mais ses paroles furent étouffées par un sanglot.

Le trajet s'accomplit en silence. Liberty se tenait là, les poings serrés sur les genoux, dans la volonté farouche de ne pas pleurer. Elle ne regarda qu'une fois Finn qui conduisait vite, les mâchoires crispées, le visage tout pâle sous son hâle doré.

Arrivé à *La Ruche*, il déposa la valise de la jeune femme sur le seuil et il embrassa du regard les livres qui jonchaient le sol de la boutique.

– Cela me gêne de te laisser seule dans une telle pagaille!

– Ça ira, répondit-elle en fixant son torse d'un air contraint. Maintenant, va-t'en parce que je suis sur le point de fondre en larmes.

– Comme tu veux...

Il leva la main et caressa de l'index la joue humide de Liberty.

– A un de ces jours, miss Marple! fit-il d'une voix étranglée par l'émotion.

Il se retourna et partit en fermant la porte derrière lui.

– Au revoir, Sherlock, dit-elle au local vide. Mon Dieu, Finn!

Elle couvrit son visage de ses mains et pleura.

Le lendemain matin, Liberty s'appliqua à remettre de l'ordre dans l'appartement. La scène de la veille, dans l'atelier de Finn, lui revenait continuellement à l'esprit et ses yeux s'emplissaient de larmes qu'elle essuyait d'une main impatiente.

La jeune femme tenait sa promesse de réfléchir à ce que Finn lui avait dit mais aucune solution miraculeuse n'apparaissait, aucune lumière ne brillait au bout du sombre tunnel. L'homme qu'elle aimait et qui lui rendait son amour n'était pas fait pour elle, hélas.

Le surlendemain de son retour à *La Ruche*, vers l'heure du déjeuner, l'appartement était redevenu présentable et Liberty ressentit la fatigue d'un ménage fait à fond et de ses nuits sans sommeil hantées par Finn O'Casey, qui lui manquait douloureusement.

Elle avait l'impression d'être coupée du monde, et elle éprouva le besoin de se détendre avant d'attaquer le nettoyage de la boutique et le rangement des livres.

Ce fut alors qu'elle se rappela avoir lu dans les journaux, chez Finn, une publicité pour la galerie qui exposait ses toiles. Bien que tous les tableaux fussent à présent vendus, spécifiait le texte, l'exposition se poursuivrait encore une semaine, comme prévu.

Liberty prit une bonne douche avant de revêtir une jupe blanche très ample et un chemisier bleu lavande. Tout en se brossant les cheveux, elle eut conscience de ne pas trop savoir ce qui la poussait vers la galerie de tableaux où elle verrait des œuvres de Finn qu'elle ne connaissait pas encore. Elle se devait d'y aller, voilà tout. La maîtresse de Finn l'attendait là-bas.

Impatiente, la jeune femme prit un taxi pour arriver plus vite à la galerie. Là, elle arpenta la salle à pas lents, en consultant la brochure qui lui indiquait le nom de chaque toile d'après son numéro mais elle était incapable de lire le texte d'accompagnement tant les larmes lui obscurcissaient la vue.

Elle marchait de tableau en tableau, le cœur plus lourd à chaque pas.

« Quel talent éclatant ! » pensait-elle. Là, captés sur la toile pour l'éternité, se trouvaient des visages inoubliables, des plages tranquilles, de violents orages sur des parcs, des enfants rieurs, des gens âgés... La vie, en somme. Chacun des tableaux était différent des autres et avait été acheté par un amateur d'art qui avait dû ressentir un coup au cœur en le découvrant.

Tel était l'univers de Finn O'Casey.

Liberty contourna un pilier et faillit bousculer une vieille dame toute menue, aux beaux cheveux blancs, qui était en arrêt devant un tableau.

– Je vous prie de m'excuser, madame, dit-elle, confuse. Je ne vous avais pas vue.

La vieille dame se tamponna les yeux avec un mouchoir brodé.

– C'est ma faute, j'oublie tout ce qui m'entoure quand je viens ici.

Liberty contempla la toile. Un saule pleureur s'élevait sur une petite colline couverte d'un lumineux tapis de coquelicots.

– C'est charmant, dit-elle d'une voix douce. Quelle harmonie!

La vieille dame sourit.

– Voici cinquante ans, dit-elle d'un ton nostalgique, mon mari m'a demandée en mariage sous un arbre pareil à celui-là. Je l'ai perdu il y a six ans. Quand j'ai vu ce tableau, le soir du vernissage, j'ai eu l'impression que je remontais dans le temps jusqu'à notre jeunesse, à Robert et à moi. J'ai décidé de l'acheter et je l'emporterai à la maison dès que l'exposition sera finie. Je l'aurai constamment sous les yeux pour ensoleiller ma vie.

Elle marqua une pause.

– Quel réconfort, vous savez! Ce sont des larmes de joie qui me viennent... J'étais dépressive depuis la disparition de mon mari mais lorsque j'ai vu ce saule et que je me suis rappelé toutes les années de bonheur que nous avons partagées, j'ai compris que j'avais mené une existence privilégiée.

Elle soupira.

– Finn O'Casey m'a rendu Robert... Mais vous devez me prendre pour une vieille excentrique...

Des larmes roulèrent sur les joues de Liberty sans qu'elle en ait conscience.

– Non, pas du tout, je comprends ce que vous ressentez.

– Ma petite, je vous ai fait pleurer... Qu'est-ce qu'il y a?

– Rien...
Liberty sourit à travers ses larmes.
– Grâce à vous, madame, tout va aller pour le mieux, à l'avenir, je l'espère... Merci infiniment.
Et elle quitta précipitamment la galerie suivie par le regard perplexe de la vieille dame aux cheveux blancs.

Finn jeta sa boîte de soda vide dans la poubelle et il regagna la salle de séjour qu'il arpenta en pensant qu'il ferait mieux d'aller à son atelier. Mais il était incapable de se concentrer sur une toile. Il ne songeait qu'à Liberty Shaw et il vivait dans la hantise de la voir apparaître d'ici quelque temps sur le pas de sa porte aujourd'hui réparée, pour lui annoncer qu'elle s'en allait pour toujours. Depuis son départ, il avait l'impression de vivre entre parenthèses, dans l'attente du verdict qui déterminerait son avenir. Où la jeune femme en était-elle de ses réflexions ? Dans quelle direction son cœur et son âme l'entraînaient-ils ? Dieu qu'il l'aimait !
La sonnerie, à la porte d'entrée, le ramena à la réalité et il traversa lentement la pièce. Ma foi, quelques paroles échangées avec le premier vendeur au porte-à-porte qui se présentait constituerait un répit bienvenu en ces heures tourmentées.
– Liberty !
– Bonjour, Finn, dit-elle, frappée par sa mauvaise mine qui n'altérait cependant en rien sa beauté. Puis-je entrer ?
– Oui... Oui, bien sûr...

Il fit un pas de côté. Sensible à son charme, il eut le désir violent de l'attirer dans ses bras et de...

– Viens t'asseoir, proposa-t-il sagement en refermant la porte.

Liberty marcha jusqu'à la cheminée avant de se retourner pour le contempler de ses immenses yeux bruns et Finn, interdit, s'arrêta au milieu de la pièce.

Leurs regards se croisèrent et la jeune femme dut s'éclaircir la voix.

– J'ai à te parler, commença-t-elle d'un ton mal assuré.

– Je t'écoute, fit-il en priant que ce ne soit pas un adieu qu'elle avait en tête.

– Finn, ce que je t'ai dit l'autre jour, dans ton atelier, sur la peinture qui passe avant tout pour toi, qui est comme une maîtresse exigeante, c'était juste... j'en suis sûre...

– Mais...?

– Non, écoute-moi sans m'interrompre. Je me suis trompée sur beaucoup de choses. Aujourd'hui, je suis allée à la galerie où tes toiles sont exposées. J'ai rencontré une dame qui m'a expliqué comment un de tes tableaux lui a transformé l'existence. Ton saule aux coquelicots lui a rendu le goût de vivre qu'elle avait perdu à la mort de son mari. Ce n'est qu'un cas parmi tant d'autres...

Liberty dut retenir ses larmes.

– A mesure que je l'écoutais, j'ai compris que je m'étais conduite comme une petite fille égoïste, qui réclamait toute ton attention. Je voulais t'avoir pour moi seule, et sans partage. Or, comme je savais que ta peinture est aussi très importante pour toi, j'ai préféré m'enfuir en versant des larmes puériles.

– Liberty, tu es trop dure envers toi-même, je...

Elle éleva la main pour qu'il se taise et se rendit compte qu'elle tremblait tout entière.

– Ce n'est pas toi le responsable de mon bonheur passé, présent ou futur, Finn, c'est moi. C'est à moi de m'épanouir pleinement. Je ne peux pas le faire en tant que professeur parce que mon métier ne me suffit pas. C'est une existence trop vide, trop ingrate. J'ai continué à enseigner à Chicago parce que je n'avais pas le courage de laisser tomber ce travail. Aujourd'hui, je l'ai. Je poursuivrai l'œuvre de libraire de ma tante mais je changerai le local pour m'installer dans un quartier plus attrayant. J'aurai un rayon spécial destiné aux enfants, et un coin où les gens pourront se détendre en lisant. Ce sera une nouvelle ruche...

Elle dut reprendre son souffle.

– Et toi, tu peindras pendant que je vendrai des livres, poursuivit-elle, véhémente. Si tu sors de ton atelier le soir tombé pour me rejoindre devant un pot-au-feu, je serai heureuse. Et si tu n'en sors pas durant deux jours, je saurai attendre avec amour et fierté, Finn, sachant que ce que tu peins ensoleille la vie des autres. Oui, il faudra bien que je te partage avec ta maîtresse et les gens qui nous entourent. Mais j'aurai la certitude que notre amour est solide et durable...

Les larmes roulèrent sur ses joues pâles.

– Pardonne-moi, murmura-t-elle, de m'être comportée comme une enfant, d'avoir laissé mes peurs et mes doutes m'aveugler sur la beauté de ce que nous pouvons vivre ensemble. Je t'aime tant, Finn. Je veux être ta femme si tu le désires encore.

– Liberty!

Il franchit la distance qui les séparait et l'attira contre lui pour l'embrasser. La jeune femme retrouva son odeur, le goût de sa bouche tandis qu'elle répondait à ses lèvres pressantes, le corps bourdonnant de joie et le cœur soulagé d'un grand poids.

Finn se décida enfin à détacher sa bouche de la sienne et leurs regards se croisèrent.

– Je t'aime tant, ma Liberty chérie. J'avais peur que tu... Non, oublie ce que je dis... Tu es là chez toi, avec moi...

– Oui, dit-elle en souriant à travers ses larmes. Je suis chez moi.

– Vous m'avez terriblement manqué, miss Marple!

Elle lui adressa un lumineux sourire et s'enquit, en nouant les bras autour de son cou :

– Sais-tu qui a dit : « Si vous ne songez pas à l'avenir, vous ne pouvez pas en avoir »?

– John Galsworthy.

Il la souleva dans ses bras et se dirigea vers la chambre à coucher.

– C'était élémentaire, mon cher Watson!

Sur le seuil de la chambre, il la déposa.

– Il nous reste un problème à résoudre...
– Lequel, Finn? s'écria-t-elle, l'œil inquiet.
– J'ai horreur du pot-au-feu, annonça-t-il avec un grand sourire.
– Tu mériterais que je t'étrangle!
– Je préfère que tu m'embrasses, Liberty.
– Je t'aimerai toujours!

ÉPILOGUE

LIBERTY entra en courant dans la grande maison de Beverly Hills. Elle abandonna à la hâte son cardigan et son sac rouges sur un fauteuil et elle entreprit de déboutonner son chemisier blanc.

Finn la regardait faire depuis le canapé où il était assis, vêtu d'un costume élégant et dûment cravaté. Il haussa un sourcil lorsque le chemisier tomba sur le tapis d'Orient et que Liberty employa toute son énergie à s'extraire de sa jupe rouge moulante.

– Je suis encore en retard ce soir, dit-elle, haletante, mais si tu savais, Finn! Un vieux monsieur adorable est venu à *La Ruche* vers quatre heures. Il a au moins soixante-dix ans. Sa voix est d'une jeunesse extraordinaire et si mélodieuse! Quand il a lu des poèmes de Walt Whitman, les gens sont restés suspendus à ses lèvres et... nous étions tous sous le charme. J'ai perdu la notion du temps.

Finn vit sans sourciller la jupe atterrir sur le tapis, à côté du chemisier.

– Je sais que tu as retenu une table au restaurant pour nous deux, ce soir, reprit-elle, essoufflée. J'en ai pour une minute à me doucher et de m'habiller...

Elle le fixa tendrement.

– Ah, dis-moi qu'aujourd'hui, tu as perdu la notion du temps, toi aussi, et que tu es sorti de ton atelier plus tard que d'habitude.

– Pas du tout, protesta-t-il en riant. J'ai consciencieusement abandonné mes pinceaux après mes huit heures réglementaires.

– Quand je pense que depuis six mois que nous sommes mariés, tu n'es pas sorti une seule fois en retard de l'atelier alors que moi, je n'arrive pas à rentrer à l'heure.

– Crois-moi, madame O'Casey, tu mérites qu'on t'attende.

– Mille mercis, monsieur O'Casey, répondit-elle avec un radieux sourire.

Il ôta sa cravate et se débarrassa de son veston.

– Que fais-tu? s'étonna-t-elle. Et notre réservation pour ce soir?

– J'ai déjà appelé pour en reculer l'heure...

Il se mit à déboutonner sa chemise et Liberty s'approcha de lui.

– Vous avez eu une idée judicieuse, Watson... J'adore ta façon de raisonner, murmura-t-elle en achevant de lui dégrafer sa chemise.

– J'ai un autre coup de fil à donner, annonça-t-il.

– Maintenant? A qui?

– Au restaurant... pour annuler cette réservation.

Liberty éclata de son rire inimitable, semblable

à celui de sa tante Beverly, et elle se pendit au cou de Finn pour l'embrasser avec fougue.

Car Liberty et Finn O'Casey ne se lassaient jamais de leurs bienheureuses étreintes.

COLLECTION PASSION

Nos trois parutions de juin 1990

Nº 257 PERDUS DANS LA FORÊT par Gail DOUGLAS
Depuis trois ans, Tricia Carlisle se sent troublée par Nick Corcoran. En revanche, celui-ci ne manifeste aucun intérêt pour cette jeune femme certes très belle, mais froide et distante. Lorsque tous deux se retrouvent kidnappés, Nick découvre avec stupeur une autre Tricia : simple, courageuse, n'hésitant pas à risquer sa vie...

Nº 258 L'HOMME DE SES RÊVES par Tami HOAG
Afin de ne plus souffrir, Rylan Quaid s'est un jour barricadé et il se croit désormais à l'abri de tout grand sentiment. Mais une demande en mariage faite sur le ton d'un contrat commercial n'est pas du tout ce qu'espérait Maggie McSwain. Rêve et réalité se heurtent brutalement sous le soleil de la Virginie, terre de combats fratricides...

Nº 259 À POINGS FERMÉS par Patt BUCHEISTER
Lauren McLean, à qui incombe la garde de la petite Amy, fait enfin la connaissance de John Zachary, le père de l'enfant. Conscient du pouvoir qu'exerce la jeune femme sur la fillette et de la tendre complicité qui s'est instaurée entre elles, John décide de l'inviter un week-end, pour apprendre à jouer son rôle de père. Mais qui doit-il conquérir? Lauren ou Amy?

CLUB PASSION

Nos trois parutions de juin 1990

N° 79 UN AMOUR DE GLACE par Peggy WEBB
Lorsqu'elle vient en aide à un automobiliste en panne sur le bord de la route, Hanna Donovan ne se doute pas que sa vie va en être complètement bouleversée. Jim se prend aussitôt de passion pour elle, mais, troublée par des souvenirs pénibles, Hanna acceptera-t-elle d'abandonner l'Alaska pour le suivre à San Francisco?

N° 80 EN ATTENDANT LILA par Billie GREEN
En se rendant à Acapulco avec un groupe d'amis pour assister à une conférence médicale, Dalila Jones a bien l'intention d'y trouver un mari, de préférence très beau, très riche et très séduisant. Quand elle rencontre Bill Shelley, elle ne s'abandonne pas à l'amour : il ne ressemble en rien à l'homme idéal. Et puis les ombres du passé rôdent, implacables.

N° 81 PRINTEMPS SURPRISE par Joan Elliott PICKART
Quel désastre s'est donc abattu sur la petite ville lorsque Justin Hope y arrive en voiture? Et comment va-t-il secourir la jeune femme blonde qui gît dans l'herbe? Ce chef d'entreprise habitué à courir le monde s'éprend désespérément de Cécilia Chambers, qui, elle, a opté pour une vie paisible sur les lieux de son enfance...

LA COMPOSITION, L'IMPRESSION ET LE BROCHAGE DE CE LIVRE
ONT ÉTÉ EFFECTUÉS PAR LA SOCIÉTÉ NOUVELLE FIRMIN-DIDOT
MESNIL-SUR-L'ESTRÉE
POUR LE COMPTE DES PRESSES DE LA CITÉ
LE 25 MARS 1990

Imprimé en France
Dépôt légal : avril 1990
N° d'impression : 13967